Achim Schwarze

Das standes[illegible]
für

Golf-Fahrer

gemein – lustig – lebensnah

mit Illustrationen von
Oscar M. Barrientos

Eichborn Verlag

Herzlichen Dank an Andreas Stelzer für seinen unermüdlichen Recherche-einsatz, Norbert Troche für seine Humorkritik und Holly-Jane für ihre strenge Aufmunterung zum Weitermachen.

CIP-Titelaufnahme der Deutschen Bibliothek

Schwarze, Achim:
Das standesgemässe Extra für Golf-Fahrer: gemein – lustig – lebensnah / Achim Schwarze. – Einmalige Taschenbuchausg. – Frankfurt am Main: Eichborn, 1991
ISBN 3-8218-3503-6

Frankfurt am Main, Erstausgabe 1988, Taschenbuchausgabe Januar 1991. Die bereits erschienene Erstausgabe ist weiterhin lieferbar.
Umschlaggestaltung: Uwe Gruhle unter Verwendung einer Illustration von Oscar M. Barrientos. Gesamtherstellung: Elsnerdruck.
ISBN 3-8218-3503-6. Verlagsverzeichnis schickt gern:
Eichborn Verlag, Hanauer Landstraße 175, 6000 Frankfurt 1

Inhalt

EINLEITUNG

Was wissen wir eigentlich über den Golf-Fahrer? Nichts. Niemand macht sich die Mühe, sich mit dieser Menschen-Gruppe ernsthaft zu beschäftigen, weil alle davon ausgehen, daß man sowieso zu keinem Ergebnis kommen wird. Außerdem: Wen interessiert schon der Golfer?

Nichts fällt leichter, als ein Gesicht zu beschreiben, das zu einer Grimasse verzogen ist. Das kontrastreiche Klischee mit seiner knalligen Eindeutigkeit ermöglicht schnelle Pointen. Der prestige-geile Angeber in Benz oder BMW kann problemlos erkannt, durchschaut und in seiner vollen Peinlichkeit witzig vorgeführt werden. Der Golfer hingegen kommt ungemein sperrig daher, denn nur bei ganz genauem Hinsehen läßt sich Verbindendes, lassen sich Gemeinsamkeiten innerhalb dieser riesigen Gruppe Menschen unterschiedlichster Herkunft aufspüren. Kaum auch kann man ein Image fassen, das weder ein Image sein will, noch sich trotzig gegen die Idee eines Image auflehnt. Wo soll man den Hebel ansetzen bei soviel Sachlichkeit und Vernunft? Der Golfer widersetzt sich einer Deutung mehr als jeder andere Automobilist.

Und doch! Wer sich die Mühe macht, entdeckt einen erstaunlichen Kosmos in und um den Golf, eine nur auf den ersten Blick unscheinbare Bekenntnis-Welt, die unerhört viel mit dem zu tun hat, was man »das deutsche Wesen« nennen könnte.

Daher nun für alle die, die es interessiert, und für alle die, die jemanden kennen, der meint, es müsse sie interessieren: der aktuelle Stand der Golf-Forschung. Viel Spaß dabei!

DER DURCHSCHNITTLICHE DEUTSCHE WAGEN

NEUN MILLIONEN FLIEGEN IRREN NICHT

Die ungeliebte Elite lenkt im Benz oder BMW, verspielte Selbstdreher erleben und erleiden französische Wagen, Verlierer wollen's japanisch, und den Stockbiederen bleibt die Qual der Wahl zwischen Opel und Ford. Überall bestätigen sich die allbekannten Vorurteile – an ihrem Wagen könnt ihr sie erkennen –, nur beim Golfer weiß man nicht gleich Bescheid, denn am Golf klebt kein Image. Der Golf-Fahrer entzieht sich der Einordnung und damit dem Spott, man kann ihm nichts vorwerfen, er macht es allen recht. Er kassiert kein zu hohes oder zu niedriges Einkommen, er führt kein zu langweiliges oder zu aufregendes Leben. Er stapelt nicht hoch, ist aber auch nicht krankhaft bescheiden. Er gehört keiner Sekte an. Er fährt Auto, nicht mehr und nicht weniger, einfach nur Auto. Folglich fährt er Golf, denn Golf ist das einzige Nur-Auto-Auto – der Inbegriff des Autos um der Fortbewegung willen, fast eine Tonne unverschnittener Sachlichkeit auf vier Rädern.
Selbst Mutter Theresa oder Elmar Gunsch haben Feinde. Mit einem bißchen bösen Willen läßt sich jedem was am Zeug flicken. Jedem? Dem Golf nicht! Das macht ihn unheimlich.
Vergeblich klopft man den Golf nach Schwächen ab. Die Technik überzeugt sowieso. Doch selbst das gelegentlich als holzig geschmähte Aussehen stimmt. Erstens weil es kein »Design« ist. Das mit dem Make-up überläßt man der Konkurrenz, die es auf Affären abgesehen hat, nicht auf die Ehe. Schönheiten sind entweder flatterhaft oder sehr kostspielig. Von einem Charakterkopf kann man mehr Tiefgang und Zuverlässigkeit erwarten. Zweitens: Die 42 mild markanten Häßlichkeiten des Golf hat man schon so oft gesehen, daß sie einem inzwischen nicht mehr als störend auffallen. Drittens: Wie zur Beruhigung in Sachen Schönheitskonkurrenz gibt es Lada, Nissan und Toyota. Und zu guter letzt ruft uns der von uns allen bewunderte Ernst Jünger so treffend zu: »Nicht mehr das Einmalige, sondern das Eindeutige zählt.« Wir lernen: ein hübscher Golf hätte unser Vertrauen nicht verdient. Bitte kein raffinierter Chic von geleckten Italienern! Wir bleiben beim Karl-Dall-Styling.

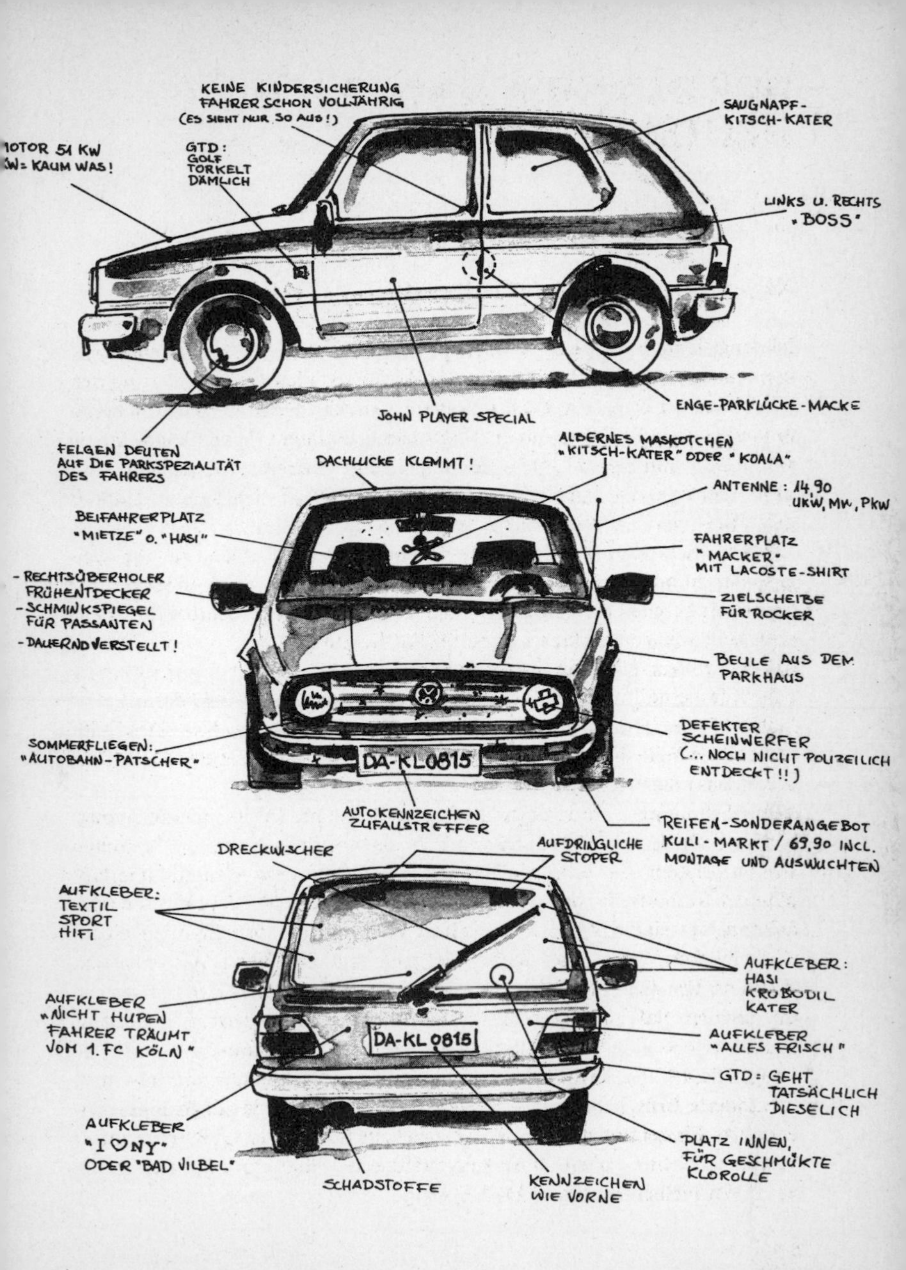

KEINE KINDERSICHERUNG
FAHRER SCHON VOLLJÄHRIG
(ES SIEHT NUR SO AUS!)
SAUGNAPF-
KITSCH-KATER
MOTOR 51 KW
KW= KAUM WAS!
GTD:
GOLF
TORKELT
DÄMLICH
LINKS U. RECHTS
"BOSS"
ENGE-PARKLÜCKE-MACKE
JOHN PLAYER SPECIAL
FELGEN DEUTEN
AUF DIE PARKSPEZIALITÄT
DES FAHRERS
ALBERNES MASKOTCHEN
"KITSCH-KATER" ODER "KOALA"
DACHLUCKE KLEMMT!
ANTENNE: 14,90
UKW, MW, PKW
BEIFAHRERPLATZ
"MIETZE" O. "HASI"
FAHRERPLATZ
"MACKER"
MIT LACOSTE-SHIRT
- RECHTSÜBERHOLER
FRÜHENTDECKER
- SCHMINKSPIEGEL
FÜR PASSANTEN
- DAUERND VERSTELLT!
ZIELSCHEIBE
FÜR ROCKER
BEULE AUS DEM
PARKHAUS
SOMMERFLIEGEN:
"AUTOBAHN-PATSCHER"
DEFEKTER
SCHEINWERFER
(... NOCH NICHT POLIZEILICH
ENTDECKT!!)
DA-KL 0815
AUTOKENNZEICHEN
ZUFALLSTREFFER
REIFEN-SONDERANGEBOT
KULI-MARKT / 69,90 INCL.
MONTAGE UND AUSWUCHTEN
DRECKWISCHER
AUFDRINGLICHE
STOPER
AUFKLEBER:
TEXTIL
SPORT
HIFI
AUFKLEBER:
HASI
KROKODIL
KATER
AUFKLEBER
"NICHT HUPEN
FAHRER TRÄUMT
VOM 1. FC KÖLN"
DA-KL 0815
AUFKLEBER
"ALLES FRISCH"
GTD: GEHT
TATSÄCHLICH
DIESELICH
AUFKLEBER
"I ♥ NY"
ODER "BAD VILBEL"
PLATZ INNEN,
FÜR GESCHMÜKTE
KLOROLLE
SCHADSTOFFE
KENNZEICHEN
WIE VORNE

Auch am Alter eines Golf gibt es nichts zu meckern. Nie kann man einem Golf die aufdringliche Neuwagen-Mäßigkeit vorwerfen, die einem Daimler oder BMW jahrelang anhängt (Mindestens 50 % der süddeutschen Entwicklungsingenieure erfinden und verbessern immer dauerhaftere Neu-Gerüche, Neu-Oberflächen voller Neu-Griffigkeit und ergründen die Neu-Reflexe in den Seelen jener deutschen Erfolgsmenschen und Möchtegerns, die sich immer wieder und beinahe zwanghaft einen Neu-Wagen hinstellen wollen.). Ein Golf ist kaum 422 km lang neu. Dann verströmt er auf lange Jahre den liebenswerten Flair des Gebrauchtwagens, der vor allem Gebrauchswagen sein will, ohne daß allerdings Gebrauchsspuren in den Vordergrund treten.
Schwellenangst kann niemals aufkommen, weder im neuen, noch im alten Golf. Der fabrikwarme Golf wirkt »gebraucht« genug, um durch ein Pfütze gefahren zu werden. Auf der anderen Seite erinnert selbst der betagte Golf immer noch genügend an einen Neu-Golf, um verkäuflich zu sein. Und in einem noch verkäuflichen Wagen kann man ohne schlechtes Gewissen fahren. Zudem: Ein Luis-Vuitton-Koffer ohne Schleif- und Kratzspuren war eben noch nie im Laderaum der Concorde. Und was wäre eine Krachlederne, an der nicht oft genug nach einer zünftigen Brotzeit mit G'räuchertem die Hände abgewischt wurden?
Mit einem Wort: Der Golf ist das Auto schlechthin.
Kein Wunder, daß sich jeder Deutsche pro Jahr ungefähr fünf Kilogramm Golf kauft (neu wohlgemerkt, und Kinder, Greise, Arbeits-, Mittel- und Führerscheinlose mitgerechnet), obwohl so ein Kilo Golf immerhin 12 bis 23 Mark kostet. 9 Millionen Golfs hat Wolfsburg in den letzten 15 Jahren ausgestoßen. Der Golf ist der mit Abstand populärste Wagen der Republik und das meistverkaufte Auto Europas.

ROLLENDE JEANS

Stellen wir uns an einem ganz normalen Tag in den Strom der Fußgänger auf einer ganz normalen belebten Einkaufsstraße und setzen uns eine Brille mit milchigen Gläsern auf. Ob Ku'damm oder Hauptstraße (in Herne 2) – wir sehen blau. In Bodennähe mehr als über den Gürtellinien, aber selbst da, in einem nicht abreißenden Strom: **Jeans-Blau**. Eine klassenlose Gesellschaft von Jeans-Blau-Trägern schiebt sich ständig und überall an uns vorbei. Wir sehen sie gar nicht mehr, weil wir sie ständig sehen. Jeans-Blau ist unsichtbar. Die Frage lautet: fühlt man sich so wohl in Jeans, **weil** man

nicht auffällt oder **obwohl** man nicht auffällt? Der Jeans-Träger antwortet: »Jeans sind bequem.«
Das treffendste Eigenschaftswort für den Golf heißt deshalb: **jeans-mäßig**. Weil alle Golf tragen, eckt man im Golf nicht an, man ist »einer von uns«, ohne dieses »Wir« genauer kennenlernen zu müssen. Jeder Golf fährt und parkt inmitten einer wärmenden Herde ähnlicher Golfs. Jeder kann in diese unvorstellbar große Sippe einheiraten und sich ihres Schutzes sicher sein. Er wird Mitglied, man akzeptiert ihn, er genießt eine Geborgenheit, die in dieser Tiefe nur von vollkommener Durchschnittlichkeit hervorgebracht werden kann.
Trotz grenzenloser Verbreitung und der großer Ähnlichkeit der Einzelexemplare empfinden ihre Besitzer weder Golfs noch Jeans eine Uniform. Jeans unterscheiden sich alle ein bißchen in Stoff, Farbe oder Schnitt, einige hat man (seitens der Hersteller!) unten ausgefranst, stone-washed oder gegen das störende »Neu-Gefühl« ausgebleicht, andere mit Aufnähern und mehr oder weniger absichtlichen Löchern gestylt. Aber sie bleiben Jeans in Jeans-Blau, das Volks-Textil in der Volks-Farbe. Jeder kann sie tragen, der freizeitende Generaldirektor und der verwahrloste Pennbruder, das Model, der Pater, der Arbeiter, die Hausfrau, der Abgeordnete, Elfriede Jellinek und sogar Eduard. Nach denselben Gesetzen der Klassenlosigkeit, die aber nie zur Gleichmacherei ausartet, funktioniert auch der Volks-Wagen Golf. Nie werden die Grenzen der Provokation überschritten. Egal wie viele Spoiler man aufschraubt, ein Golf bleibt der CDUSPDFDP-Wagen mit dem 08/15-Normalverbraucher-Otto-Motor. Der Herdentrieb verkauft 300.000 mal Geborgenheit pro Jahr, und 300.000 mal im Jahr bilden sich Menschen ein, ganz nüchtern ein vernünftiges Auto zu kaufen. Sie haben recht.

SCHWARZ – ROT – GOLF[1]

Wir sollten einen gebrauchten Golf in eine Erdumlaufbahn schießen. Sein Kilometerstand (= **39.471** km) entspricht exakt dem Umfang unseres wahrscheinlich noch ein paar Jahre jeans-blauen Planeten. Außerirdischen Expeditionen wäre er die treffendste Visitenkarte deutscher Kultur, weitaus angemessener als die Goethe-Gesamtausgabe (plus B-Strauß als Beleg für die Fähigkeit des Dichter- und Denkervolkes in aufgeblasener Öde) oder der

1 Slogan einer Golf-Anzeige von 1986.

Fernseher (obwohl die Tagesschau mit der »Ehrenwort«-Pressekonferenz in Endlosschleife sicher ihren Reiz hätte).
Oder ist dieser Wagen in diesem Alter etwa nicht wie wir? Zweckorientiert und vernünftig, nicht schön und nicht raffiniert, aber auch nicht überzogen oder prätentiös. Technisch gut, wenn auch nicht zu perfekt, aber vor allem nicht verspielt oder empfindlich. Dieser Wagen entspricht den modernen Deutschen: bescheiden und solide, bürgerlich, provinziell, redlich und dazu ein kleines bißchen selbstbewußt.

Für den Fall, daß die Außerirdischen begriffsstutzig sind, setzen wir Richard von Weizsäcker hinters Steuer, heften einen Strafzettel unter ein Wischerblatt, im Handschuhfach plazieren wir ein Pfund Jakobs »Krönung«, den »Stern« und zwei ausgefüllte Lotto-Scheine. Auf dem Rücksitz liegen die Jeans über dem Einwegbügel, gerade aus der Reinigung abgeholt. Ausführender Künstler: Wolf Vostell. Honorar: 43.720 Mark (incl. USt.) plus Frachtspesen in der »Ariane«.

MACHT DER GEWOHNHEIT

Wer eine oder zwei der typischerweise glücklichen Golf-Ehen hinter sich hat, wird bei Golf bleiben. Man hat sich auf seinen »Typ« eingeschossen. Weil der nächste Golf sich so ähnlich verhält und fast genauso klingt wie sein(e) Vorgänger(innen)[2], gibt man sich ruhig der Gewißheit hin, nicht hereinfallen zu können. Im Golf wird man keine Überraschung erleben. Der Golf ist einem so vertraut wie die Person, neben der man morgens auf-

---

2 Die Frage nach dem Geschlecht des Golf ist in der Literatur derzeit noch umstritten. Wir entscheiden uns für männlich, solange nicht durch den Fund eindeutiger Geschlechtsmerkmale eine andere Sicht notwendig wird.

wacht. Man kennt sie, errät ihre Reaktionen im voraus, auch wenn man sie – zugegeben – nicht wirklich versteht. Natürlich kann man sich etwas Schöneres vorstellen! Zum Beispiel die Modelle aus der Wenn-schon-denn-schon-Klasse. Aber der Spatz in der Hand... – Volkswagen: da weiß man, was man hat. Ein bißchen quadratisch, aber praktisch und irgenwie auch gut.

DIE RASSE DER BOHRMASCHINE

Warum stellen die führenden Bohrmaschinenhersteller nicht jedes Jahr eine Sommer- und eine Winterkollektion mit neuen schicken Modellen vor? Weil die derzeitigen Bohrmaschinenformen in ihrer klassiker-verdächtigen Schlichtheit zeitlose Gültigkeit besitzen? Nein, sondern weil sich niemand für Bohrmaschinen-Mode interessiert.
Das ist bei Autos anders, da kommt es auf die Rasse an. Frech oder gedeckt, elegant oder heiß, bieder oder hip kann man fahren. Außerdem gibt's die Designer-Originale für großes Geld und eine Saison später die verunglückte Japan-Variante zum halben Preis inklusive Außenspiegel rechts (der beim Vorbild-BMW 318i 200,– Mark extra kostet).
Welche Rasse hat der Golf? Gar keine. Diese nicht häßliche Promenadenmischung ist weder Ostblock, noch Italien, noch Japan oder Amerika. Der Golf ist zeitlos – zeitlos durchschnittlich und langweilig. Über einen Golf kann man sich nicht aufregen. Seine Charakterstärke ist die Charakterlosigkeit, wie wir sie auch in den Herrenabteilungen der Massenkonfektionäre antreffen. Ein Wagen wie aus dem Versandhauskatalog. Total jeans-mäßig!
Seinen erhobenen Platz in der Design-Geschichte des Automobils hat der Golf nicht seiner überzeugenden Schönheit zu danken, sondern dem Umstand, daß viele Konkurrenten seinen Markterfolg kopieren wollten, indem sie ihren Schöpfungen gegen bessere geschmackliche Einsicht golfähnliche Blechkleider anpaßten. Die sogenannte »Golf-Klasse« entstand.

DAS GOLF-GEFÜHL

Die schweigende Mehrheit mag das 150%ige nicht besonders. Nicht etwa, daß sie Pfusch liebte (Marktanteil Citroën 1,7 %, Fiat 3,3 %). Aber 99%ig reicht ihr aus. Das schüchtert nicht ein. Man muß sich im Vergleich zu seinem Wagen nicht wie eine Fehlkonstruktion vorkommen. Kurz unter der

Perfektions-Grenze von 100 % rühren die Mängel nicht an der Substanz, sie bewegen sich im Bereich »Geschmackssache« und »man hätte natürlich auch noch...«. Ein Golf ist nicht zu erwachsen, aber auch nicht mehr jugendlich. Golf steht für die auslaufende Pubertät, jene Zeit also, in der man mit dem mehr oder weniger eigenen Geld seine Jeans selber kauft.
Die schweigende Mehrheit kann sich sofort mit dem Golf anfreunden, weil er eine schöne, günstige Mietwohnung ist und keine Villa; »BOSS«, aber nicht Versace – aber eben auch nicht Zelt oder Woolworth. Der Golf bekommt »Befriedigend plus«, und der Lehrer gibt grundsätzlich keine Einsen.
Dieses jeans-mäßige Nur-Auto-Auto zählt also auch zu den Schon-Auto-Autos.
Die Staatsreligion des »Gesunden Kompromisses« bestimmt Partnerwahl, Wohnungseinrichtung und Kreuzchen auf dem Stimmzettel. Warum sollte man nicht mit dem rollenden Inbegriff des »gesunden Kompromisses« herumfahren, zu dem sich ein Gutteil der Bevölkerung bereits öffentlich bekennt? Weite Verbreitung bedeutet doch wohl, daß man sich in guter Gesellschaft befindet. Und wer weiß, wovon 9 Millionen Fliegen träumen, während sie nicht irren.
Golf-Kritiker blamieren sich als krankhafte Individualisten und überzüchtete Feinschmecker. Was gibt es gegen Millionen-Auflagen zu sagen? Wäre der Mercedes 230 E plötzlich schlecht, wenn Honecker einen Zwangsumtausch aller Trabis gegen Benz zum Kurs von 1:1 auf Staatskosten anordnen würde, um den Deutschen Wald mitzuretten? Was gibt es gegen Bier und Butterbrot einzuwenden – zeugt der Konsum von Grundnahrungsmitteln von schlechtem Geschmack?

GOLF-LIEBE

Schon aus Trotz rechtfertigt der Golf-Fahrer die verbreiteten Fehler seines Wagens. Na schön, **sein** Golf geht immer an der Ampel aus und läßt sich heiß nicht mehr starten. In **seinem** Außenspiegel kann er nichts erkennen, weil er als kleiner Fahrer den Sitz so weit nach vorn rücken muß, daß er von dort aus nicht mehr in den zwergenfeindlichen Seitenspiegel schauen kann. In **seinem** Wageninnenraum riecht es gelegentlich nach fauliger Verdauung, weil die Euronorm-Abgasreinigung nicht optimal funktioniert. **Er** hat halt ein rachitisches Exemplar erwischt, aber die anderen sind garantiert tiptop.
Manch ein Golfer tritt den handfesten Beweis seiner Liebe zu diesem schö-

nen Stück deutscher Ingenieurskunst auf ganz individuelle Weise an. Als der Studiendirektor Wolfgang Kraetzl (55) eines Morgens um drei vor seinem Haus in München-Obermenzing Einbruchsgeräusche hört, rennt der (Passat fahrende) Pauker raus und schützt den wehrlosen Golf seines Sohnes gegen die feigen Diebe mit nur zwei Schüssen aus seiner .357er Magnum. Dem Golf ist nichts passiert. Wohl aber dem wackeren Waidmann, der 15.000 Mark Geldstrafe und eine Bewährungsstrafe aufgebrummt bekommt, nur weil der 16-jährige Übeltäter Michael tot ist und sein 17-jähriger Kumpel Alex einen Wadendurchschuß verpaßt bekommen hat. Dabei waren die Schüsse selbstlos und sozial verantwortlich gemeint: Kraetzls Sohnemann wollte am nächsten Tag zu seinem Studienort Berlin fahren und hatte Mitfahrer von der MFZ, die auf ihn angewiesen waren.

DER DEMENTI-GOLF

Doch bei aller Liebe wird die Seele des Golfers von einem schlimmen Konflikt zernagt: Geborgen im warmen Golf-Strom genießt der Golfer die Ruhe

der Unauffälligkeit. Niemand schaut ihm hinterher, niemand mustert ihn so, daß ihm die Hände feucht werden, niemand lacht ihn aus. Schauen wir aber tiefer in die Abgründe der Golfer-Seele hinab, so entdecken wir in diesem wohligen Akzeptiert-Sein ein bohrendes Leiden: niemand beachtet den Golfer, niemand bemerkt seine Anwesenheit. Er ist gesichtslos, unsichtbar und unwichtig – ein Niemand.
Ohne Ecken und Kanten, ohne Profil und ohne umstrittene Eigenschaften macht es der Golf allen recht und gerät dabei zu einem Monument der Beliebigkeit. Wie will er da Individualität gewinnen? Er hat keine Chance, ihm bleibt vor allem der Rückzug auf das, was unter Krämerseelen als schlagfertig gilt: »Klein, aber mein« – »Klein, aber oho!« Daß ein Auto bezahlt ist, führt er als Qualitätsmaßstab ins Feld, und »oho« heißt, daß der Golf mehr drauf hat, als sich der Golfer vorstellt, daß sich der Besitzer eines Volvo 760 GL vorstellen kann.
Individualität, sagt der Golfer, Individualität wirkt immer gewollt. Ihm ist sein Auto nicht wichtig, sagt er, er will mit seinem Wagen nichts beweisen oder signalisieren. Darauf ist er stolz. Die Besitzer von repräsentativeren und »individuelleren« Autos haben diese Stufe nüchternen Gleichmutes noch nicht erklommen. Sie sind noch immer der überkommenen Welt der Kasten und Symbole verhaftet. Weil ihm ein Auto »nicht wichtig« sein darf, kann sich der Golfer allerdings nicht für einen Fiat entscheiden – der wäre zu oft in der Werkstatt.
Aus einem unendlichen Fundus von Geschichten vom Hörensagen schöpft unser konturloser Golfer Gründe für die Golf-Entscheidung: Nobelmarken halten weniger als sie versprechen, auch in Untertürkheim wird mit Wasser gekocht. Er kenne mehrere Fälle, wo jemand von seinem hochgelobten Benz ziemlich enttäuscht war. Sein Jeans-Mobil hingegen mag zwar kein individuelles Einzelstück sein, dafür steckt aber die gesamte Erfahrung seiner Millionen Vorgänger in ihm. Und außerdem: Was ist mit den Kosten pro Kilometer? Und dem geringen Wertverlust? Einen Golf kann man in jedem Alter und bei jedem Aussehen noch gut verkaufen. Mit einem Wort: Ein besseres Preis-Leistungsverhältnis gibt es nicht.
Wenn er sich für die schwächste Maschine entschieden hat, lobt er nicht nur die geringen Kosten für Steuer und Versicherung. Der Wagen »verführt mich wenigstens nicht zum Rasen«, er spart Punkte in Flensburg, er verlängert das Leben der Insassen, er schont das Konto und die Umwelt, besonders – jedenfalls angeblich – wenn es sich um einen Diesel handelt (wie in 40 % der Neu-Golf-Fälle).
Gibt es eine Alternative zum Golf? Nein, jedenfalls nicht in der Golf-

Klasse. Die anderen, von Peugot 205 bis Kadett, sind zwar ein bißchen billiger und hübscher, aber – irgendwie eben – nicht so überzeugend. Das wäre Sparen am falschen Ende.
Naja, trotz allem: Ein bißchen schämt sich der Golfer schon für seine Durchschnittlichkeit.

DER SPAR-GOLF

Der typische Golfer hat es nicht nötig zu sparen, aber es macht ihm ungeheuer Spaß. Er genießt das Gefühl, etwas Solides unter Wert abgeschossen zu haben. Stolz kauft er nur Dinge mit einem überlegenen Preis-Leistungs-Verhältnis. Er erliegt nicht den Verführungen von Kampfpreisen oder Moden. Er informiert sich und vergleicht, er wägt ab und entscheidet dann souverän und ohne jeden Zweifel. Und er fällt gern auf das Gerücht rein, der Golf Diesel sei deutlich haltbarer als der Benziner.

DIE HALBWERTZEIT DES GOLF

Exakte Zahlen liegen nicht vor. Aber eine englische Studie ergab, daß nach zehn Jahren noch 75 % der beobachteten Golfs am Leben waren. Damit weist der Golf eine Überlebensrate auf, die doppelt so hoch liegt wie die eines Porsche 911 und fast sechsmal die eines Citroën CX übertrifft. Volvos lassen sich allerdings noch schlechter ausrotten als Golfs: 85 % der Volvo 240 waren nach zehn Jahren noch unterwegs.
Zurück zum Golf: das Durchschnittsalter der in Deutschland verschrotteten Golfs liegt bei rund 120 Monaten. Das wiederum deutet auf eine Halbwertzeit von fünf Jahren und darauf, daß man in England pfleglicher mit Golfs umgeht als bei uns.
Erstaunlich, daß ein Golf überhaupt so lange durchhält. Er wird reichlich belastet: Durchschnittlich einmal alle 16 Kilometer macht der Golfer die Motorhaube auf und zu, alle 2,2 km wird einmal der Anlasser betätigt. Pro 100.000 Fahrkilometer brennt sechs Wochen lang Tag und Nacht das Licht, die Fahrertür wird 115.000 mal geknallt (die Beifahrertür nur halb so oft) und 960.000 mal die Kupplung getreten.

Die Geschichte des Golf

DAS HIMMELFAHRTS-KOMMANDO VON FALLERSLEBEN

Eigentlich verdanken wir den Golf einem eher untalentierten Maler, der unter dem Künstlernamen »Der Führer« bekannt geworden ist. Zu Himmelfahrt 1938 erfand er durch Grundsteinlegung die Stadt Wolfsburg (»Stadt des KdF-Wagens bei Fallersleben«) und das Volkswagenwerk. F. Porsche bastelte im Führerauftrag neben allerlei Tellerminen und V1-Raketen mithilfe einiger Zwangsarbeiter und KZ-Häftlinge ein paar wenige Exemplare jenes Käfers zusammen, der nach dem Kriege zum wirtschaftswunderlichen Verkaufshit und Golf-Vorgänger wurde.

WOHER KOMMT DER NAME GOLF?

Jeder Wagentyp braucht eine schmissige Bezeichnung. Abstrakte Begriffe wie »1302 GLX ti 1,9 Kat« überfordern die Intelligenz der Käufer. Außerdem sagen sie nicht viel über das Image des Fahrzeuges aus, außer daß es sich wahrscheinlich um einen Japaner handelt, der nur ein halbes Jahr lang gebaut werden wird.
Monatelang rauchten in Wolfsburg die klügsten Köpfe der Nation, um einen Namen zu finden, der den Grundgedanken des geplanten Käfer-Nachfolgers ideal repräsentieren könnte. Dynamisch sollte er sein. Eine Sportart! Gut. Aber wer würde einen »VW Stabhochsprung« kaufen? Da schon eher: »VW Ping-Pong – da weiß man, was man hat.« Nein, das klang zu leichtgewichtig, und außerdem kriegen die Tischtennisbälle so schnell Dellen. Fast wäre der Erfolgs-Volkswagen »VW Fußball« genannt worden, aber irgendwie haben sie dann den Namen »Golf« genommen. Übrigens die Sportart mit den meisten Anhängern weltweit. Wer hätte das gedacht, wo man sich doch immer einbildet, Golf sei so ungemein elitär?
Dennoch: Eine perfekte Lösung ist das nicht. Im Ausland heißt der Golf allgemein und sogar offiziell »Volkswagen Kaninchen«. Absolut vorbildlich! Ja, im eigenen Land besitzen die VW-Kreativen keinen solchen Mut! Sie gebärden sich als scheue Propheten, die erst gar nicht den Mund auftun, weil sie wissen, daß sie in der Heimat nichts gelten würden. Selbst ihren Sonder-Golf nennen sie feige »Bistro«, anstatt, wie es korrekter wäre, »Volkswagen Kneipe«.

Ein Golf ist nichts Besonderes? Noch nicht. Hier ein heißer Tip für Investoren: Jetzt einen guterhaltenen Golf fachgerecht einfetten und für später in die Garage stellen! Zweifellos wird der Golf bis zum Jahre 2031 zum Kultwagen avanciert und für Normalsterbliche kaum noch zu bezahlen sein.
Absurd? Man hätte 1971 jeden für komplett plemplem gehalten, der sich den meistverkauften, zudem billigen, unbequemen und häßlichen Allerweltswagen VW »Käfer« als Sammlerstück hingestellt hätte. Schon heute, kaum 20 Jahre später, beneiden ihn alle um sein voll geiles Käfer-Cabrio.

Propaganda-Poesie

Die Reklame-Broschüren der Autofirmen zählen zu den meistgelesenen Werken der Gegenwartsliteratur. Werber wissen zu berichten, daß diese, ihre Poesie nicht vor, sondern erst nach dem Autokauf studiert wird. Wahrscheinlich sucht der Kunde schöngeistige Belehrung und Formulierungshilfe hinsichtlich des eigenen neuen Lebensgefühls. Und ist es nicht das, was Literatur immer leisten möchte?
Natürlich fallen die Golf-Prospekte unter die Rubrik »Bestätigungsliteratur«. Aber auch den neuen Grass kennt man immer schon, bevor man ihn gekauft oder gar durchgeblättert hat: erstens ist er eine Kopie des alten und damit auch des noch älteren Grass', und zweitens haben uns »Spiegel«, »Stern« und »Zeit« den zeitraubend langen Langweiler auf drei immer noch endlose Seiten heruntergekürzt.
Unverändert schwer tut sich die Literaturkritik mit der Einordnung und Interpretation der in dieser Hinsicht nicht besonders hilfreich bebilderten Werke. Schon die Frage, ob es sich hier um Ernst oder Satire handelt, läßt sich nicht eindeutig beantworten, weil man keinen der Autoren zu greifen kriegt, den man nach 23 Uhr im Dritten zum Umfang autobiografischer Elemente und seinem Verhältnis zu Werfel und Joyce verhören könnte.
Doch sehen wir selbst[3], was uns unter dem VW-Slogan »Volkswagen – Da weiß man, was man hat« geboten wird:

---

3 Dem geneigten Leser wird ans Herz gelegt, sich die Prospekte selbst zu besorgen und auf der Zunge zergehen zu lassen. Es sei jedoch die Warnung vorausgeschickt, daß sich die V.A.G.-Partner ziemlich kleinlich hinsichtlich der Abtretung ihrer Prospekte aufführen. Auch muß darauf hingewiesen werden, daß die Texte in neutralem Buchdruck wesentlich witziger wirken als im Hochglanzoriginal. Lautes Vorlesen erhöht den Genuß.

DER GOLF

»Wie geht es denn Ihnen, wenn Sie einen der über 9 Millionen Golf[4] sehen? Bestimmt erkennen Sie ihn sofort. Da sind wir sicher.« Tatsächlich, soviel Intelligenz besitzen wir gerade noch. »Man kennt ihn. Man erkennt ihn. In Staus und an Grenzen. Kein Ort ohne Golf.« Da steht er nämlich, statt zu fahren – praktisch für die Begriffsstutzigen! »Kein Tag ohne Golf. (...) keine Minute ohne Golf. Die Welt ist voll von Golf. Da wundert man sich fast, daß der Golf so normal geblieben ist.« Was hätte er sonst machen sollen? Kann ein Golf arrogant werden, nur weil die Welt voll von Golfs ist? Soll der Golf durchdrehen? Das gelingt seinen Rädern schon selten genug.
»Golf-Fahren ist eben ein besonderes Vergnügen. Und trotzdem das normalste auf der Welt. Ein unvergleichlich gutes Gefühl, für das der Verstand eine Menge Argumente hat.« – »Das gute Gefühl allerdings, das kann man nur live erleben. Am Steuer des weltbekannten Golf.« Für das normalste Gefühl auf der Welt, das Golf-Fahren (nicht zu verwechseln mit dem ebenfalls weltweit verbreiteten Hungergefühl), gibt es also Argumente. Hören wir einige: »Gute Herkunft und guter Ruf. Viele, viele gute Gründe also, warum der Golf Tag für Tag, Stunde für Stunde und Minute für Minute freundliche Blicke bekommt.« Auf dieser mit normal gebliebenen Golfs überzogenen Welt voller Staus und Grenzen...
»Und als echter Volkswagen ist er für alle da. Der Golf macht es offenbar allen recht. Auch in südlichen Gefilden, wo gutes Design und temperamentvoller Charakter bekanntlich besonders gefragt sind.« Südliche Gefilde, wo soll das sein? »Von Paris bis Pisa...« Der Süden fängt demnach etwa in der Höhe von Landshut an, also in Paris, der Stadt mit den liebenswertesten Staus, in denen man Tag für Tag, Stunde für Stunde, Minute für Minute festhängt.
»Daß er [der Golf] (...) keinen Millimeter von seiner eigenen Überzeugung abgeht, macht ihn nur noch beliebter.« Dieses Auto glaubt noch an was, dieses Auto hat Überzeugungen und beharrt stur auf ihnen. »Fest steht auch, daß der Golf keine Modeerscheinung ist. Er ist im Winter so aktuell wie im Sommer.« Ganz im Gegensatz zur Modeerscheinung Skistiefel.
»Befragt nach dem Erfolgsrezept, gibt es keine Patentantwort.« Wer wurde denn befragt? Kann man auf die Frage nach einem Rezept mehr tun als zu

4 Hier lesen wir den korrekten Plural zu »der Golf«: »die Golf«. Der unbelehrbare Autor läßt es sich allerdings nicht nehmen, die volkstümliche Mehrzahl mit »s« zu bilden, so wie er auch aus purer Anbiederung »Mercedesse«, »Fords« oder »PKWs« sagt.

antworten, kann man patentantworten? Hat Dr. Kohl diesen Prospekt geschrieben, als er wiedermal über den Tellerrand des gestrigen Abends hinaussah?
Ist ja auch egal, Golf-Fahrer scheinen ohnedies schlimme Tiefflieger zu sein. Selbst nach jahrelangem Herumfahren im Golf gewöhnen sie sich nicht an die offensichtlichsten Eigenschaften ihres Wagens: »Was sich hinter der unverkennbaren Heckklappe an Platz verbirgt, kann selbst langjährige Golf-Fahrer immer wieder aufs neue verblüffen.« Wahrscheinlich kann man ihnen immer wieder denselben Witz erzählen, und sie lachen sich jedesmal kaputt. Außerdem ist das eben »der größte Golf aller Zeiten.« Auch nach langer Erfahrung läßt das Staunen über die umlegbare Rückbank nicht nach, die Golfer »wundern sich dabei wieder einmal darüber, wie einfach das alles geht.«
Die begriffsstutzigen Golf-Käufer zerfallen übrigens in nur drei Gruppen: »Äußerst geschmackvolle Innenausstattung (...) in drei Farben, damit Ihr Golf auch optisch genau zu Ihnen paßt.«
Wem der normale Golf nicht reicht, der verliebt sich in den GT: »schwarze Kotflügelverbreiterungen und die Radzierringe. Die schwarzen Schweller und die schwarze Heckscheiben-Umrahmung. Fensterbrüstung in Kunstleder, ausgesprochen flotte Gesamtverkleidung«. Werfen wir einen Blick auf diesen geilen Golf: »Hier ein erster Vorgeschmack, soweit die Seite reicht.«
Nun kommt das Finden-Sie-den-Unterschied-Suchspiel im Stile der »Hörzu«. Auf den Fotos kann man zwischen dem Grund-Golf und dem teureren Golf CL praktisch keinen Unterschied erkennen (außer den Radkappen und einer Zierleiste am Stoßdämpfer). Selbst auf dem Nummernschild steht beide Male »GOLF«. Wir lernen: Selbst der billigste Golf sieht aus wie der nächstteurere Golf, nicht zuletzt wegen der »seitlichen Stoßschutzleisten, die nicht nur mehr Schutz, sonders auch eine markantere Optik bieten.« Doch die Optiker von VW haben dem CL eine Nasenlänge Überlegenheit eingeräumt: »Innen bietet der Golf CL mehr. Die Schalthebelstulpe aus Kunstleder.«
Für den Nostalgiker, der die mattschwarze Mode nicht mitmachen will, gibt's den GL: »... weil hier ausgewählter Komfort und das richtige Maß an Luxus das Sagen haben« finden wir »blanke Zierrahmen um Windschutz- und Seitenscheiben und Radzierringe. Eleganz, die anspruchsvolle Golf-Fahrer von ihrem Auto erwarten«, auch wenn ebenfalls angeblich anspruchsvolle Golfer bei ihren GTIs jegliche Chromteile als aufdringlichen Tand ablehnen.
Wer von den Hochglanzbildern enttäuscht sein sollte, dem sei gesagt: »Die

Abbildungen auf diesen Seiten könnnen nur Anhaltpunkte sein, weil die Druckfarben die Polsterstoffe nicht so schön und gemütlich wiedergeben können, wie sie in Wirklichkeit sind.«
Und zum Schluß noch die Sicherheit, daß man nichts falsch machen kann: »Wie immer Sie sich entscheiden: Wir beglückwünschen Sie zu Ihrer Wahl.«

GTI 16 V, GTI, GT

»Jedermann weiß, daß man sich mit einem Golf überall sehen lassen kann. Landauf, landab. Hier und heute. Am Meer und in Übersee. – Der Golf auf Erfolgsfahrt. Weltweit. Was der an sportlicher Leistung, Kraft und Rasanz auf die Straße bringt, ist ein technischer Hochgenuß. Ein Kraftpaket, (...) geradezu ein Wegweiser.« Die Niederquerschnittsreifen »sorgen mit aller Kraft dafür, daß dieses Kraftpaket satt auf der Straße liegt.« Die Doppelscheinwerfer »signalisieren viel Sport«. »Auch im Innenraum geht's sportlich rasant zu.« Da ist zum Beispiel »der schwarze Formteilhimmel, der die Sportlichkeit des Fahrzeuges gut unterstreicht.« Das ist genau das, was wir brauchen, die »planmäßige Abfahrt: am liebsten sofort.«
Der normale Golf ergibt sich in sein Schicksal, er steht jede Minute, jede Stunde, jeden Tag an Grenzen und im Stau. Der GTI macht da ein besseres Bild – der restliche Verkehr richtet sich nach ihm, dem satt auf der Straße liegenden Wegweiser: »Seine ganz persönliche Verkehrslage ist immer ruhig und entspannt.« Damit andere Autofahrer schon in Deckung gehen können, bevor es gefährlich wird – »erst wenn er richtig in Fahrt kommt, deckt er seine Karten auf« –, hat man dem Raser-Volkswagen GTI 16 V selbstlos mit einer Warnung beklebt: » – als kleine Orientierungshilfe – führt er an Kühlergrill und Heck den roten 16 V-Schriftzug.« Der dient aber nicht etwa zum Angeben, schließlich heißt GTI: »mehr Sein als Schein. Seine Stärke zeichnet sich dadurch aus, daß er sie hat«.
»Bekanntlich führen viele Wege zum Ziel«, heißt es nach der Besprechung der teuren GTI und GTI 16 V. Wer genauso protzen, aber weniger Geld rausschmeißen will, nehme den billigen GT: »Auch der [GT] ist ausgesprochen unternehmungslustig. Und das sieht man ihm an. Und [die gute Laune] hält auch im Innenraum an.«

DAS GOLF CABRIOLET

Unter der Überschrift »Freiheit auf vier Rädern« lesen wir: »Freitagnachmittag – startklar fürs Wochenende. Sie haben schon ein Rendezvous? Klar doch, mit Ihrem attraktiven Golf Cabrio. Das mit dem neuen Rundum-Anbausatz in Wagenfarbe.« Einsamkeit kann man also besiegen, indem man sich mit seinem Golf Cabrio verabredet. Besitzer des alten Golf-Cabrio ohne Rundum-Anbausatz, die bisher leer ausgegangen sind, sollten sofort nachrüsten. Und dann rein ins Abenteuer: »Sonnenschein, laue Lüfte. Immer der Sonne entgegen.« An den hier beschriebenen vier Tagen pro Jahr kommen schwüle Wünsche auf: »Sie möchten 'oben ohne' fahren? Das ist offengestanden kein Problem.« Oben-ohne-Darbietungen erregen so manchen Betrachter: »Die Einblicke, die ein Golf Cabriolet bietet, können sich wirklich sehen lassen.«

»Während der Fahrtwind im Nacken kitzelt, haben Sie Muße zu überlegen, wohin die Fahrt gehen soll.« Mit einem Cabrio fährt man nämlich erstmal blind drauflos und dann bevorzugt unnötige Strecken. Hauptsache herumkurven. Wo? »Vielleicht mal einen Blick in das neueröffnete New-Wave-Bistro werfen?«, schlägt die Beifahrerin vor. Er überlegt, ob es sowas wie ein New-Wave-Bistro überhaupt geben kann oder er nicht lieber auf dem Weg dorthin eine Panne vortäuschen soll. »Ob's noch Karten fürs Jazz-Festival gibt?« Nein, es ist inzwischen doch Freitagabend! »Oder wie wär's mal wieder mit einer Runde Squash?« Unmöglich, sowas muß man eine Woche im voraus buchen! Andererseits fährt der echte Cabrio-Fahrer immer seine repräsentative Squash-Ausrüstung auf dem Rücksitz spazieren. »Im Golf Cabriolet kommen Sie auf die tollsten Ideen.« Vor lauter geil und gesehen werden wollen setzt das Denken aus. »Und das hat seinen Grund: Golf Cabriolet-fahren macht den Kopf herrlich frei für Außergewöhnliches! Und während Sie Ihren Gedanken freien Lauf lassen, sind Sie auch schon mittendrin: ein Stadtfest mit tausend bunten Lampions, swinging music und gutgelaunten Leuten. Nicht lange – und Sie stehen im Mittelpunkt: Sie und Ihr Golf Cabriolet.« So kann es kommen, wenn man vor sich hindöst, statt auf den Weg zu achten. Doch schon bald nach der auffälligen Amokfahrt ins Zentrum des Festes gibt's unerwartete Abkühlung für »das fahrende Sonnenstudio«. «Während Sie noch heiß über den neuesten Film diskutieren, fallen plötzlich die ersten Regentropfen.«

»Was jedem sofort ins Auge fällt: Platz und noch mal Platz. Nehmen Sie also reichlich Platz.« Ist das nicht ungemein witzig ausgedrückt? »Mit ihrem Beifahrer kommen Sie dabei nur in Tuchfühlung, wenn Sie es wollen.

Denn wie gesagt, Platz ist genug da.« Was ist aber, wenn wir wollen, aber der Beifahrer nicht? Das kommt in der Praxis nicht vor. Im Gegenteil, der Cabrio-Golfer ist umschwärmt: »Auch die Rücksitze laden zum Mitfahren ein. Und Mitfahrer werden Sie haben. Denn Golf Cabriolet-fahren macht Lust auf Geselligkeit.« Was denn: Dreier, PT, GS!? »Cabrio-fahren befreit von Zwängen.«

»Und bevor Ihnen vor soviel Theorie der Kopf raucht« noch ein paar praktische Informationen: »Ihr Golf Cabrio ist kein Auto, das nur eine Saison im Rennen liegt. Mit ihm sind Sie jeder Mode um Längen voraus. Und als Accessoires viele glänzende Zierleisten. Weil wir gerade von Dingen sprechen, die das Leben schöner machen: Machen Sie mal Shopping mit dem Golf Cabriolet. In seinem Gepäckraum ist genug Platz für Taschen und Tüten«, jedenfalls, wenn man nicht allzuviel in diese Taschen und Tüten packt.

Jetzt wird der Spieltrieb angesprochen. »Vorgegeben sind vier Außenfarben, vier Verdeckfarben und vier Innenausstattungsfarben. Jeweils in Weiß, Blau, Rot und Hellgrau. Und jetzt bitte mischen. Sie haben die Wahl zwischen 64 Möglichkeiten. Dafür haben Sie dann aber auch ein Auto, das außer Ihnen so leicht niemand haben wird.« Nicht untertreiben! Von den 64 möglich Farbkombinationen sind 41 so geschmacklos, daß sie noch individueller sind! »Was beweist, daß Sie einen ausgefallenen Geschmack haben.« Doch dazu tritt ein weiterer Vorteil: »Aber mal ganz praktisch gedacht. Haben sie sich nicht auch schon geärgert, wenn Sie nach dem Tennisturnier ganz schnell zum Fernsehfilm nach Hause wollten...?« Nein. Aber stellen wir es uns trotzdem mal vor, der Videorecorder könnte ja kaputt sein. »... und dann erst mal die Suche auf dem überfüllten Parkplatz losging? Mit Ihrem unverwechselbaren Cabrio aus der Quartett-Serie kann Ihnen das nicht mehr passieren.« Ein wirklich handfester Vorteil, der jeden Aufpreis rechtfertigt, vor allem natürlich für all die, die sich etwas so kompliziertes wie ihr Autokennzeichen nicht merken können.

»Keine Angst, man muß kein Auto-Designer sein, um hier mitzumischen. Leute mit Phantasie sind angesprochen.« Endlich entzaubert VW den Traumberuf des Autodesigners, indem sich der Prospekt an »Leute mit Phantasie« wendet, nicht jedoch an Auto-Designer. In der Tat: Der Golf wurde eindeutig von Auto-Designern entworfen. »Das Farben-Quartett weckt auch in Ihnen ungeahnte kreative Fähigkeiten«. Nur Lotto weckt noch mehr ungeahnte kreative Fähigkeiten, muß man doch hier 6 aus 49 und nicht nur 1 aus 64 ankreuzen. Und noch kurz zum Lüscher-Test: »Was

Ihre persönliche Farbwahl beim Cabrio-Quartett über Sie verrät? Mit Sicherheit nur Bemerkenswertes.«
Der Vedacht erhärtet sich, daß der Cabrio-Käufer sich auf Kindergarten-Niveau bewegt. Zur Bastel-Therapie bietet der Prospekt eine farbige Folie zum Ausschneiden. Verschiedenfarbige Verdecke und Innenräume können auf die vier in den unterschiedlichen Lackfarben abgedruckten Karossen gelegt werden. Dieses umständliche Gefummele kann man sich allerdings genausogut schenken, weil auf der nächsten Doppelseite alle 64 bunten Varianten abgedruckt sind.

DER GOLF SYNCRO

Einen teuren Syncro braucht niemand wirklich, das weiß jeder. Was soll die alberne Vierrad-Mode? Beweisen, daß VW auch einen Ladenhüter herstellen kann? Einzig bemerkenswert sind »Mittelkonsole und Türablagekästen vorn. Da ist Platz für Schokolade, Kekse und all die Kleinigkeiten, die das Autofahren im Golf syncro noch ein wenig angenehmer machen.« Außerdem nützt der Wagen der Karriere: »[Der Golf synchro] bringt Sie nicht nur beruflich voran, auch im Urlaub oder am Wochenende ist der Golf synchro die Zugnummer, auf die sie sich verlassen können.«

DIE GOLF-GEMEINDE

Steckbriefe von typischen Golf-Fahrern

MANNI UND CARLA

»Manfred ›Manni‹ S. (33) ist Fotograf.« Natürlich, was sonst. Und schön auch, daß man uns gleich seinen ungewöhnlichen Spitznamen mitteilt. »Seine Lieblingsfarbe ist weiß. Seine 2 1/2-Zimmer-Dachwohnung ist mit weißem Teppichboden ausgelegt.« Fürchterlich unpraktisch, weil extrem empfindlich. »Sein Kater heißt 'Blacky' und ist weiß.« Einen sagenhaften Humor hat er also auch, unser Manni. »Seine Schreibmaschine vom Flohmarkt hat er weiß lackieren lassen.« Eine veraltete mechanische Schreibmaschinen erscheint uns ziemlich ungeeignet zum Rechnungen Tippen. Beim Lackieren sind garantiert Sprühnebel oder Farbtropfen zwischen die Hämmer geraten, und das Ding ist nun im besten Falle schwergängig. Nicht sehr professionell. »Sein Lieblingsfilm ist der weiße Hai. (. . .) Im Sommer will Manni heiraten – ganz in Weiß, versteht sich. ›Und in die Flitterwochen fahren wir dann oben ohne . . .!‹« Ja, Manni wäre nicht der konventionelle Golf Cabrio-Kunde, wenn er sich diese abgegriffenste aller Cabrio-Zoten entgehen lassen würde. »Jetzt fehlt Manni nur noch eine weiße Weste.« Sowie Weißbier, Weißwürste und ein Mittel gegen Schmerzen an den Weisheitszähnen. Weiß Gott.
Sehen wir Manni nach, daß er ein wenig unterbelichtet ausgefallen ist. Aber »Carla Siemers hat die Nase im Wind« und dominiert mit Durchblick: »Mannomann – was für eine Frau. Carla Siemers macht manchen männlichen Artgenossen was vor, wenn es um Motoren geht.« Sie hat den »Golf GTI geleast. Harley gekauft.« Echt? Wirklich? Irre! »Großes Staunen in Carlas Clique«, die aus lauter Pappnasen vom Zuschnitt des beschriebenen männlichen Artgenossen Manni S. bestehen dürfte und ausgesprochen begriffsstutzig ist. Aber Carla verfügt über einige Geduld: »Paßt auf, Jungs, ich erklär's euch langsam. . .« Die Groschen fallen nicht gerade schnell in der Clique, und schon zerschneidet Carlas ungeduldige Rückfrage die allgemeine Kunstpause. »Gibt's noch irgendwelche Fragen, Männer?« Eigentlich eine nette Geste von ihr, aber selbstredend verschlägt es Carlas

dumpfem Bekanntenkreis die Sprache: »Von uns aus nicht.« Trifft sich gut: »Wär auch zu spät, denn Carla ist schon abgerauscht.« Auf ihrer Harley natürlich. Ziemlich sympathisch, was, unsere beiden Golfer-Archetypen aus der Golf-Werbung?!

DIE JUGEND

In der Welt gesunder deutscher Väter und Mütter gilt es zweifellos als Naturgesetz, daß die Jugend als ersten Wagen einen Golf braucht und nicht irgendso ein Trotz-Auto wie die Jungs und Mädchen aus den zerrütteten Familien. Bescheiden, aber dennoch grundsolide soll es sein, so eine Art IKEA-Mobil. Der Tochter wird ihre Begeisterung für die viel süßeren Franzosen und andere Ausländer ausgeredet, denn Daihatsu Charade oder Fiat Panda sehen nicht nur so aus wie Spielzeugautos, sie fahren sich auch so. Dem Sohn verspricht man einen höheren Zuschuß, wenn er auf die lebensgefährlichen BMW-PS verzichtet, von denen er sich Verehrerinnen im Dutzend verspricht.
Nach bestandener Führerscheinprüfung ist ein Golf einfach fällig, nach dem Abitur ohnehin. So klingt mit dem Golf die Pubertät stimmig, weil seriös, aus. Die »Jugend« setzt sich zum Beweis der Abnabelung von den »Leih-mir-mal-eben-deinen-Wagen«-Eltern in den eigenen Golf. Doch eine Aufnahme in die Welt der Großen kommt nie ohne Rituale aus, weder in Papua-Neuguinea noch in Bielefeld oder Tauberbischofsheim. Je höher der Anteil der Fremdmittel beim Golf-Kauf war, desto weihevoller und länger fällt Vatis Ansprache aus, die in der feierlichen Schlüsselübergabe mit feucht-warmem Händedruck gipfelt und selbst dann durch eine »Jungfernfahrt« um den Block gekrönt wird, wenn der gebrauchte Golf schon 78.000 km hinter sich hat. Der Mäzen thront auf dem Beifahrersitz, lobt jovial die in den ebenfalls von ihm bezahlten Fahrstunden erworbenen Kenntnisse der Jugend und gibt dieser noch ein paar unerträglich gute Ratschläge hinsichtlich der rechten Fahrweise mit auf Lebensweg.
Stolz müßte die elterliche Brust schwellen, wenn Sohn oder Töchterchen ganz ohne Finanzspritze des Familienvorstandes einen Golf anschaffen. Doch das geschieht selten. Eltern lassen sich nun mal nicht gern beweisen, daß man nicht mehr auf sie angewiesen ist, und schon gar nicht, »solange du deine Füße unter meinen Tisch. . .« Der Nachwuchs macht bittere Erfahrungen. Da hatte er sich einen selbst bezahlten Rost-Golf vor die Tür gestellt, weil er lieber gelegentlich auf freier Strecke liegen bleiben wollte, als

sich ständig von den Eltern mangelnde Dankbarkeit vorhalten und Vorschriften machen zu lassen, wie er »seinen« Wagen zu behandeln und zu pflegen habe. Nun fordern ihn die Eltern ultimativ auf, die peinliche Schüssel eine Straße weiter zu parken, um die Familienehre nicht zu besudeln. Das wirft wichtige Fragen auf: Dürfen Eltern ihren Kindern das Parken vor dem Haus verbieten, ohne in den Verdacht zu geraten, ihrer Leiber Frucht schamlos zu verleugnen? Und: Schaffen sich Kinder absichtlich einen besonders scheußlichen Golf vom eigenen Geld an, um die immer wieder beteuerte Liebe der Eltern einer letzten Feuerprobe zu unterziehen?
Jedenfalls dauert das provokante Experiment meist nicht lange. Der Nachwuchs erfährt bald, wohin Besserwisserei führt: Die billige Grotte bleibt stehen, der unschlagbar günstige Gelegenheitskauf erweist sich als Pferdehandel. Wieder einmal hat die Lebenserfahrung gesiegt, wiedereinmal haben die ständigen Verlierer verloren und mehr Lehrgeld gezahlt als je zuvor in ihrem 19-jährigen Leben. »Siehst du!? Aber auf uns hört ja keiner!«, sagen die Eltern und ziehen gnädig die Entscheidung zurück, Eduard jr. zu enterben.
Doch selbst bei Muttis Liebling verfliegt schnell jeder lästige Rest der Verpflichtung, den Eltern dankbar zu sein, wenn der Fahrtwind möglichst steif ins Gesicht des Jung-Golfers bläst. Er macht der grenzenlosen Freiheit Platz, unnötige Strecken in unnötiger Geschwindigkeit und Nervosität zurückzulegen. Jung-Golfer und Jung-Golferin lenken ihren neuen Wagen mit einer unnachahmlichen Mischung aus verkehrsbehindernder Vorschriftsmäßigkeit und Kurzschluß-Überholmanövern ihren neuen Wagen, wie dies nur im Golf möglich ist.
In reiferen Jahren wird die Jugend gern an diese Zeiten zurückdenken. Die Tochter an den Übergang vom Fahrschulgolf zum eigenen Golf und an ihre Genialität beim Vorwärtseinparken, der Sohn an seinen ehemaligen Vorsatz, alle Reparaturen selbst auszuführen (und die abenteuerlichen Geschichten seines Versagens als Schrauber), der Soldat schließlich an den kostengünstigen, kleinen Motor, der ihm das Leben gerettet hat, weil er glücklicherweise all die Fahrkünste nicht zuließ, die Paul sich damals zutraute.

FRAU AM STEUER

Keine gesunde Frau verliebt sich in einen Golf. Diesem Auto fehlt jegliche Ausstrahlung. Visa oder Panda ließe sie sich gefallen, die sind einfach süß.

Peugot 205 oder Lancia bringen Sex-Appeal und Chic mit. Auch Mini oder Käfer findet sie charakterstark und interessant. Wie wäre es mit einem alten Karman oder einer Ente?
Doch ein vielköpfiges Männer-Ballett tanzt das Erfolgsstück »Sachkunde«, schlägt die Hände gleichzeitig über dem Kopf zusammen und singt im Chor: »Auf keinen Fall!« Sie braucht einen Golf, ohne Zweifel! Der ist zwar nicht die Bohne aufregend, zugegeben. Er sieht so langweilig, profillos und durchschnittlich aus wie all die Millionen anderer uninteressanter Golfs – auch wahr. Er ist nicht süß und noch weniger sexy. »Aber du wirst keine Enttäuschung mit ihm erleben.« Deutsche Hausmannskost. Wenn man sich erstmal an den grauen Partner gewöhnt hat, kommt das mit der Liebe schon von allein. Außerdem bietet die Garfield-Forschung einige Accessoires an, um selbst einen Golf »süß« zu machen, wobei sich die schönsten Erfolge zweifelsfrei mit einem Plüsch-Garfield erzielen lassen, der mittels Saugnäpfen am Seiten- oder Heckfenster befestigt wird.
Frauen kaufen Golf, weil sie die Nase davon voll haben, sich von Männern dauernd für ihre wenig zuverlässigen Traumautos belächeln zu lassen, die zwar vielleicht mehr Persönlichkeit besitzen mögen, aber eben auch einen unangenehm eigenen Willen haben. Durch den vernünftigen Golf-Kauf befriedigen die Frauen zudem das Grundbedürfnis der Männer recht zu haben. Golf – da weiß man, was man hat. Nämlich vor allem seine Ruhe.
Übersehen wir nicht die ausgekochte Seite: Sollte der gebrauchte, »aber noch erstaunlich gute« Golf, zu dem man sich von seinen Beratern hatte überreden lassen, in seine mürben Teile zerfallen, befindet sich der männliche Schlauberger in der Pflicht: Am Wochenende darf er unter die Schüssel kriechen und das angeblich service-freundliche Gefährt wieder auf Zack bringen – gratis. Er wird dies ohne Murren tun, 52 feucht-kalte Wochenenden im Jahr, vor allem dann, wenn er beim Golf-Kauf als »Fachmann« dabei war. Man könnte fast argwöhnen: Frauen kaufen Golf auf männlichen Rat hin (und erst nachdem sie sich lange zieren), um sich so gegen einen Großteil des Reparaturrisikos zu versichern.
Die Ehefrauen der gehobenen Stände müssen einen Zweitwagen besitzen. Natürlich bleibt der Mercedes SL als Status-Symbol ungeschlagen. Der Golf als Mercedes der Golf-Klasse macht aber immer noch mehr her als jeder Japaner, Kadett oder Franzose. Mit einem Golf sagt der Ehemann seiner Frau (und der Nachbarschaft), daß er sie ernst nimmt. Ja, er verschont Mutti sogar mit den Witzen über »dein Auto«, wie sie bei den Ehepaaren aus dem Bekanntenkreis üblich sind, deren schwächerer Teil sich mit Visa oder Panda begnügen muß.

Ist die Liebe besonders groß – oder das schlechte Gewissen –, werden dem Golf der Frau Leichtmetallfelgen aufgezogen und Spoiler aufgemumpt. Damit kann sich die Gattin sehen lassen. Dem Wagen sieht man nicht an, daß seine Besitzerin zwar nach ihrem automobilen Anschaffungsvorschlag gefragt, aber dann gegen ihren Wunsch mit einem Golf überrascht wurde. Ehemänner blicken bekanntlich in Autodingen besser durch als Ehefrauen, die man gelegentlich zu ihrem Glück zwingen muß. Meinen jedenfalls Männer.
Seiner Freundin stellt der Besserverdiener ein Golf Cabrio hin. »Sieh mal aus dem Fenster«, fordert er sie scheinheilig auf, während er sie schon in der Drehung unsittlich berührt. Mit einer Liebesnacht, die keine abseitigen Wünsche offenläßt, dankt sie ihm den glücklichen Moment der Schlüsselübergabe. Doch der Besserverdiener ist nicht dumm. Er behält den Kfz-Brief und die Ersatzschlüssel. Schmuck können Ex-Freundinnen behalten, der Golf aber wird der Nächsten so gut gefallen wie der Momentanen, die ziemlich lange artig sein dürfte, wenn der Golf wirklich so toll ist, wie die Volkswagen-Reklame behauptet.
Was lernen wir daraus? Wenn der Schenker seiner Freundin den Brief nicht aushändigt, weiß man, was man von seiner Liebe zu halten hat.

MANN AM STEUER

Kaum schreibt man ein paar Zeilen lang die zugegeben traurige und – auch zugegeben – nicht naturgegebene und bestimmt auch nicht unveränderliche, aber immerhin doch leider mehr oder weniger Wahrheit über das Verhältnis zwischen Frau und Auto, setzt es auch schon Hiebe. Daher hier ein bißchen Männer-Feindlichkeit: Alle Männer sind aggressive, gestaute Machos, die ihre unterdrückten Emotionen an unschuldigen Mitmenschen auslassen, indem sie rasen, anderen die Vorfahrt nehmen, zwanghaft überholen müssen, rücksichtslos und asozial parken, exhibitionistisch ihre Autos vorführen und Blech lieben, weil sie die Fähigkeit nicht besitzen, Menschen zu lieben. Außerdem können sie nicht weinen, selbst wenn ihnen die Polizei ganz spontan und aus dem Bauch die Pappe abknöpft. Reicht das?

DIE FAMILIENKUTSCHE

Der Golf ist geräumiger als man denkt – »Jetzt 2 Liter in der beliebten 1-Liter-Flasche!« Die Familie paßt also rein. Und überhaupt: Die Kinder flippen auf langen Autobahnfahrten im geräumigen Reise-Citroën genauso aus wie im Golf. Die Koffer lassen sich für diese höchstens vier ernsten Reisetage pro Jahr auch aufs Dach schnallen. Apropos Verreisen: was wäre eine gelungene Reise, wenn nicht ganz am Ende der Genuß auf Golf-Fahrer und -Beifahrer warten würde, ebenso glücklich wie totmüde ins eigene Bett zu sinken und sich zu schwören: »Nie wieder!«?
An sich eignet sich jedes Auto als Familien-Kutsche, sofern es mit »Kinder an Bord« beklebt ist – mal abgesehen von R4, Ente, Mini und Käfer, die auf Verwahrlosung deuten und das Jugendamt auf den Plan rufen sollten. Mit dem Golf beweist sich die Familie, daß sie nicht so spießig geworden ist, wie man es Familiengründern immer unterstellt. Man verspottet Ford Taunus

und nimmt Golf, so wie man der altdeutschen Schrankwand den Einzug ins Wohnzimmer verwehrt und sich mit IKEA einrichtet. Später, wenn man sich überlegen muß, ob es peinlich ist, sich die ersten grauen Haare färben zu lassen, kann man immer noch auf etwas schwerere Prestige-Schlitten mit mehr Reputation umsteigen, ohne daß einem die Kosten noch mehr graue Haare wachsen lassen. Bis dahin jedoch bleibt wichtig, daß das Auto nicht wichtig ist, solange man sich drauf verlassen kann.
Doch selbst in einem Alter, in dem man eigentlich längst Audi oder Omega fährt, bleiben manche Golfer ihrem Golf treu. Sie weigern sich, ganz und gar erwachsen zu werden und trauern der Studentenzeit hinterher, während der sie ihre Hemden am Körper bügelten. Inzwischen haben sie ihr Haus mehr als halb abgezahlt, sind zu treuen Benutzern des aufwendigsten Rowenta-Bügeleisens geworden und verstehen bei aller Toleranz nicht, was ihre »Kids« an L.L. Cool J. und Run D.M.C. finden. Ihr Golf verfügt, von außen unsichtbar, über einige Besonderheiten wie z. B. elektrische Fensterheber, die man in der wilden Zeit unmöglich albern gefunden hätte, und steht, ebenfalls ein Bruch mit früheren Dogmen, in einer Garage.
In Familien ohne nennenswerte Karriere dient der Golf als bescheidenes Symbol für einen bescheidenen Erfolg. Für die Bezirksliga hat es nicht ganz gereicht, aber innerhalb der Golf-Klasse darf man sich mit seinem Wagen als Mitglied des Gewinnerteams betrachten – auf der Ersatzbank mitgesiegt.

VERSAGER

Den klassischen Versager trifft man in einem 6-Zylinder-Ford-Consul oder einem über und über mit flüchtig angeschliffenen Spachtelstellen verhunzten BMW, jedenfalls in übermotorisierten Autos mit einem Loch im Auspuff und einer blauen LKW-Wolke beim Runterschalten vor der Ampel. Der klassische Versager stapelt hoch und bildet sich ein, alle fielen darauf rein. Einen Golf wird er nicht lange halten, weil er mit diesem bescheidenen Auto nur dann den gewünschten Eindruck von Seriosität erzeugen könnte, wenn er den Wagen mit unverhältnismäßigem Aufwand pflegte.
Der Versager, bei dem ein Golf aus dritter Hand seinen Lebensabend verbringt, hat sich in sein Schicksal ergeben. Getragen von der Überzeugung, von unverdientem Pech verfolgt zu sein und keine Chance zu haben, hat er sich den Golf als Strohhalm der Normalität erwählt, der ihn vor dem völligen Absinken in die Trostlosigkeit bewahren soll. »Immerhin habe ich einen

Golf«, gehöre also noch zur Kerngruppe der menschlichen Gesellschaft, »egal wie arbeitslos, verschuldet, faul oder dumm ich scheinen mag«.
Ein Golf stabilisiert den notorischen Verlierer, er hält ihn davon ab, auf die schiefe Bahn zu geraten. Eigentlich sollte ein Golf unpfändbar sein, um der Gesellschaft die Folgekosten zu ersparen, die immer dann anfallen, wenn man Versagern den letzten Rest gesellschaftlicher Bindungen entreißt und sie in den Amok treibt. Im schrottigen Golf dreht er ein paar beruhigende Runden um den Block, tankt an der Ecke für fünf Mark in Münzen, wartet in der Gemeinschaft der anderen an der Ampel, parkt irgendwo ganz normal und hält sich selbst wieder ein paar Stunden aus. Für den Versager ist es besonders wichtig, daß er ein sichtbares Symbol für seine Mitgliedschaft in der Gesellschaft besitzt, das er zudem alle paar Tage mit seiner vorbildlichen Reinlichkeit aufwerten kann – arm, aber sauber.
Es muß an dieser Stelle angemerkt werden, daß sich weibliche Versager niemals für einen Golf entscheiden, sondern ausländische Hersteller bevorzugen, die Versagertum als »Lebensart« verkaufen. Unter den männlichen Versagern sind die jenseits der 34 besonders stark auf Golf fixiert, die jüngeren haben sich die Benzinfresser noch nicht abgewöhnt.

RENTNER

Die meisten Rentner haben die Nachkriegszeit nicht vergessen und vertreten die Auffassung, daß es heutzutage allen zu gut geht. Selbstverständlich nehmen sie sich selbst davon aus. Als Beweis führen sie an, daß sie nur einen Golf fahren. Doch insgeheim schämen sie sich für ihren Golf, denn einerseits hätten sie gern einen repräsentativen Mercedes Diesel, andererseits finden sie, daß ein Auto wie der Golf bereits zu gut für sie ist, weil es besser ist als der Wagen, in dem ihr eigener Chef vor 30 Jahren herumgefahren worden ist.
Weil ein Rentner auf seine Lieblingsbeschäftigungen, das Besserwissen und Herumnörgeln an anderen, nicht verzichten kann, muß er sich mit einem Golf bescheiden. Nur dann kann er seinen inzwischen auch schon graumelierten Kindern vorrechnen, wieso deren großer Wagen über ihre Verhältnisse geht. Nur als Golf-Fahrer hat er genügend Geld von seiner Rente übrig, um für seinen Nachwuchs weiterhin umschleimter Finanzier und Spender zu sein. Nur so kann er die dreisten Enkel jahrelang zur Nettigkeit zwingen: oder spekuliert nicht jeder von ihnen darauf, den Golf und Opis

Versicherungsrabatt zu »erben«, wenn der Familienälteste seinen Führerschein oder Löffel abgibt?
Für den Fahrstil des Rentners ist es ohne Bedeutung, in welchem Auto er die Gegend unsicher macht. Verkehr ist für ihn auch im Golf das geblieben, was er 1952 mal war: Straßen, die jedem Wagen schaden, Bremsen, die versagen können, Autos, die bergab bis zu 98 km pro Stunde zurücklegen. So zieht er denn mit halber Richtgeschwindigkeit seine Bahnen, schont seine Blinker und fühlt sich verpflichtet, durch peinliche Einhaltung sämtlicher Verkehrsregeln besonders auf der geschwindigkeitsbegrenzten Überholspur der Jugend die so wichtigen Nachhilfestunden zu erteilen. Diese Aufgabe erweist sich nicht selten als so kräftezehrend, daß sich offenbar eine gewisse Lebensmüdigkeit am Lebensabend schon auf der Straße einstellt.
Steigungsstrecken lösen beim Golf fahrenden Rentner den unbezähmbaren Gedanken an die wenige Zeit aus, die ihm noch zum Leben bleibt. Besonders im Golf mit dem ganz kleinen Motor kommt nun der Impuls auf, die letzte Überhol-Chance wahrzunehmen, die sich vielleicht je bietet. In gewohnter Weise wird ohne komplizierte Geschwindigkeitsberechnungen links ausgeschert und zum Überholen angesetzt. Der Geschwindigkeitsunterschied zum LKW beträgt 2,01 km pro Stunde, der zu den links fahrenden Quattros, 5er BMWs und 190ern knapp 104 km/h. Bis zur Beendigung des Rentner-Manövers staut sich auf der Überholspur eine Schlange spritziger Mitbürger, 3,3 km lang, Stoßstange an Stoßstange.
Doch es geht auch anders. Manchmal schaut der überholende Rentner, eher zufällig, in den Rückspiegel und stellt befriedigt fest, daß er bei seiner zähen Überholoperation offenbar von keinem der üblichen Raser gestört wird. Überhaupt, vorhin war viel mehr Verkehr. Während solcher Momente rät der Verkehrsfunk dem nachfolgenden Verkehr, den eben vom Rentner durchfahrenen Autobahnabschnitt weiträumig zu umgehen, wo sich gerade eine Massenkarambolage mit 62 Schwerverletzten und einem umgekippten Lebendschweinetransporter ereignet hat, weil irgendsoein Kriminelle plötzlich links ausgeschert war und . . .
Nichtsdestotrotz befindet sich der Rentner im Besitz der reinen Lehre. Erstens grundsätzlich und zweitens auch in diesem besonderen Fall. Er (und nur er) weiß, daß ein Golf dann doppelt so lange hält wie der Durchschnittsgolf, wenn man ihn mit Zwischengas fährt.

HOBBY-HÄNDLER

Wenn es aus Feigheit nicht zum Berufsverbrecher gereicht hat, wird man Autohändler; wo es selbst dazu nicht langt, treffen wir auf den Hobby-Händler. Seine Philosophie läßt sich in folgenden Sinnsprüchen zusammenfassen: »Handwerk hat goldenen Boden«, »selbst ist der Mann«, »die anderen kochen auch nur mit Wasser« und »mit ehrlicher Arbeit wird man nicht reich«. In der festen Auffassung, daß das Erreichen des Stadiums des Reichtums nur noch eine Frage der Zeit sein kann, widmet sich der Hobby-Händler seiner Berufung zu jener besonderen Abart von »Arbeit«, deren Lieblingsmaterialien Spachtelmasse, Glasfasermatten, Klebstoff, »Gum-Gum« und Kühlerdichtmasse sind. Mit seiner Fähigkeit zur Improvisation erreicht er in jedem Jahr seiner Karriere spielend das Achtelfinale in der Europameisterschaft im Mittelgewicht der Amateur-Pfuscher.

»Mein Auto kostet mich keinen Pfennig«, verkündet er großsprecherisch, »weil ich alles selber mache«. Tatsächlich leert er – vollkommen gekonnt – die Aschenbecher, staubt die Armaturen ab und versprüht eine Familienpackung »Cockpit-Spray« im Wagen, um ihm die alte Fabrikfrische zurückzugeben und gerade dann verkaufsfertig zu machen, wenn die Kupplungsscheibe schon so »runter« ist, daß man sie nicht weiter nachstellen kann, und die Bremsen nach dem Eisen-auf-Eisen-Prinzip wirken (bzw. nicht mehr ganz so wirken). Diese Schönheitsreparaturen kann der nächste Besitzer ausführen, der den Wagen ja schließlich länger als die sieben Wochen quälen will, die er dem Hobby-Händler gehörte.

Da »man mit einem Golf niemals reinfallen kann«, findet sich immer ein Liebhaber für die betagte Kutsche, und dies um so mehr, wenn der Hobby-Händler eine glückliche Hand für »Händlerduschen« beweist, jene erfrischend unkomplizierten Husch-Husch-Lackierungen vor der Garage, von deren Qualität eine Vielzahl von Insekten so fasziniert ist wie von einem Fliegenfänger.

Der seriöse Hobby-Händler wird von seinem Jagd- und Sammeltrieb geleitet. Er jagt Unfaller und Schrott-Golfs, um sie fachgerecht auszuwaiden und ihre Innereien zur späteren Verwendung einzulagern. Er nimmt sich vor, aus drei oder vier erlegten Golfs samt ihrer unheilbaren Krankheiten einen neuen, völlig gesunden Golf »aufzubauen«. In seiner Sammelleidenschaft stellt er sein Grundstück nach und nach mit abgemeldeten Golfs und unzähligen »noch guten« Reifen voll, die »man irgendwann mal brauchen kann«. In endlosen Expeditionen grast er die Schrottplätze der weiteren Umgebung nach besonders wertvollen Ersatzteilen ab. Zudem legt er sich

eine Werkzeugsammlung zu, mit deren Hilfe er auch exotische Golf-Probleme lösen könnte – wenn sie je auftreten würden. Er besitzt einen Freundeskreis eingeschworener Golf-Bastler und Hobby-Händler zur gegenseitigen Hilfe bei größeren Pfusch-Unterfangen.
Seine schlimmste Krise erlebt der Hobby-Händler, wenn ihm nichts anderes übrig bleibt, als seinen halbgaren Golf zum V.A.G.-Partner zu ziehen und dort vom angeblich so aufgeschlossenen Fachpersonal das unlösbare Reparaturproblem knacken zu lassen. Er erlebt unübertroffene Unfreundlichkeit und die pfeffrigste Rechnung des letzten Quartals, man will ihm zweifelsfrei eine Lehre fürs Leben erteilen.

DER BERUFS-GOLF

Gnadenlos geht es Bordsteine hoch, unbarmherzig werden Türen geknallt, ächzend reibt die Seite beim Kampfparken an Baumrinden, Begrenzungssteinen und diversen scharfen Vorsprüngen. Der Ascher quillt über. Der Berufs-Golf darf nur selten auf eine glückliche Partnerschaft hoffen, meist ist er nichtmal Nutzvieh, sondern nur seelenlose Maschine für seinen Schinder.
»Eben!«, denkt sich der Durchschnittsbürger, »wenn ein Wagen sogar die unbarmherzige Benutzung im Postdienst überlebt, muß er ja was taugen!«
Daß in den verschlafenen Werkstätten der verschlafenen Post pro Fahr-Kilometer satte 21 Pfennig Reparaturkosten aus dem Fenster geworfen werden (Privatwirtschaft: immerhin 10 Pfennig), kann man von außen auch nicht erkennen. So ist das nun mal mit den Vorurteilen: Mercedes gleich Qualität, weil Taxi; Golf, weil Post.
Der Golf erträgt alles. Den Zusteller oder den Kundendienstmonteur, die längst fälligen, aber versäumten Ölwechsel, die täglich wechselnden Fahrer vom Studentendienst, die die Gänge nicht finden und die Kupplung unerträglich schleifen lassen. Ein Golf ist geduldiger als Papier.
Nach wenigen Dienstjahren wird der Berufs-Golf in Frührente geschickt. Doch erwartet ihn kein schöner Lebensabend. Obwohl er rüstig aussieht, ist er nämlich in Wirklichkeit krank und verbraucht. Von seinem neuen Besitzer wird er als Fehlkauf beschimpft und vielleicht sogar gehaßt werden, wenn unter der noch ansehnlichen Hülle Aggregat für Aggregat in den Ausstand tritt. Schon bald endet das traurige Leben des Berufs-Golfs beim Abdecker.

DER FAHRSCHUL-GOLF

Der Wagen, auf dem man gelernt hat, wird für einige Zeit die einzige Marke sein, die man sich wünscht und zutraut. Am liebsten mit Automatik. Mit dem Fahrschul-Golf hat man sich inzwischen angefreundet, denn er hat sich daran gewöhnt, an jeder Ampel abgewürgt zu werden. Sein Diesel-Gemüt nimmt einem nichts übel, auch das plötzliche Vollgas nicht, das Vatis spritzigen Honda Prelude in den Totalschaden katapultiert hätte. Golf rettet das Selbstvertrauen: Nur vor einem Golf braucht man sich für die eigene Unfähigkeit nicht zu schämen.

DER SPIEGELVERKEHRTE FEIND-GOLF

Die nicht unerhebliche Portion Respekt, mit der viele Autofahrer einem Golf vor allem dann begegnen, wenn zwei Insassen in ihm umherfahren, verdankt der Golf einer deutschen Urangst: »Das könnten die Bullen sein!« Da man die Haie im Golfstrom nur schwer ausmachen kann, weil ihre charakteristische Rückenflosse zu einem Antennenstummel für Polizeifunk degeneriert ist, ist vorbeugendes Mißtrauen angesagt. In der Tat mindert sich das Tempo sündiger Verkehrsteilnehmer schlagartig auf das gewünschte Maß plus acht Prozent, wenn im Spiegel ein Golf-Gesicht auftaucht. Warum plus acht Prozent? Weil man schließlich unauffällig sein will! Nur wer Mehrere über den Durst getrunken hat, fährt exakt 50 km/h im Ort.

Machtgeile Golffahrer rollen mit exakt 50 stundenlang in der Stadt auf und ab. An guten Tagen traut sich kaum einer, sie zu überholen. Ein Gänsemarsch des schlechten Gewissens schleicht hinter dem Golf her. Ein jeder geht zur Sicherheit davon aus, daß sein Vordermann in der Golf-Bemannung die verdammten Zivis erkannt hat, die ihn neulich erst empfindlich zur Ader gelassen hatten.

Die unheilstiftende Wirkung der Golf-Scheinwerfer im Rückspiegel wird durch die Dunkelheit um ein Vielfaches verstärkt. »Warum überholt der Hintermann nicht, wo doch alles frei ist?« Unter voller Konzentration versucht man im Licht der noch weiter hinten fahrenden Autos auszumachen, ob im verfolgenden Golf ein Beifahrer sitzt. Dann spätestens ist alles klar. Die Kelle ist nur noch eine Frage der Zeit.

Die andere Variante: Golfer patroullieren in Mußestunden langsam in der Gegend herum, um sich von einem Eiligen überholen zu lassen, ihm einen

kleinen Vorsprung zu geben und dann ziemlich rasch aufzuschließen. Sie fahren bis auf zehn Meter heran, so wie dies außer den Meß-Golfs der Polizei kein gesunder Mensch tun würde. Einige Minuten lang, die für den Verfolgten eine pulsbeschleunigende Ewigkeit dauern, fahren sie hinter ihrem Opfer her, welches sich mit nassen Händen fünf Kaukissen gleichzeitig in den Mund geschoben und durch Radikal-Lüftung einer Turbo-Ernüchterung unterzogen hat. Dann irgendwann überholen die Hintermänner. Herzinfarkt beim Sünder. Netter Seitenblick der Hobby-Bullen – Triumph. Dann wenden und dem nächsten auflauern. Scheint ein ziemlich schlechtes Programm in der Glotze zu kommen heute.
Die Existenz von Zivis hat uns gelehrt, jeden Golf zu respektieren. In nicht wenigen von uns keimte irgendwann der Wunsch auf, auch so einen Respektswagen zu besitzen.

EINGESCHWORENE NICHT-GOLFER

Das mindeste, was man von einem einigermaßen gesunden Menschen erwarten darf, ist eine großzügige Toleranz dem Golf gegenüber. Der Golf führt seit Jahren die Auto-Charts an, obwohl er nicht gerade billig ist. Jeder weiß, daß der Golf sich längst bewährt hat. Im Gegensatz zu allen anderen brauchbaren Autos haftet ihm dennoch kein Image an. Wie schon gesagt: dem Golf kann man nichts vorwerfen, weder Rolexität, noch Woolworthismus. Also müssen die eingeschworenen Golf-Feinde eine Macke haben.
Da gibt es einmal die grundsätzlichen Nein-Sager. Denen kann man sowieso nichts recht machen. Unheilbar. Diese Typen würden sich darüber beschweren, daß es ungerecht ist, daß sie und niemand sonst sechs Richtige im Lotto hatten. Verlieren wir kein weiteres Wort über sie.
Und dann die, die mit ihrem Individualitätswahn gerade baden gegangen sind, weil ihnen die Einzigartigkeit ihres Prestige-Mobils die Butter vom Brot fraß oder in 60 % der Zeit von den Mechanikern der Fachwerkstatt bestaunt wurde. Der bescheidene Golfer zählt zu denen, die das immer schon wußten. Sieg nach Punkten. Enttäuschte Individualisten sind schlechte Verlieren und hassen den Golfer, als hätte er ihnen etwas getan.
Gern unterstellt man den Fahrern der Nobelmarken, sie seien grundsätzlich Golf-Hasser. Dieses schlimme Vorurteil trifft nicht zu. Würde ein Mercedes-Fahrer aus seinem schwäbischen Olymp herabsteigen, so käme nur Wolfsburg infrage: von einem unumstrittenen Siegerwagen in den anderen, nur die Gewichtsklasse hat gewechselt. Ob man sich für einen neuen Mercedes

oder BMW entscheidet, mag noch als Geschmacksfrage durchgehen. Aber ob man Golf oder Kadett will, darüber braucht wohl niemand lange nachzudenken. Nein, Golf zählt irgendwie zur weitläufigen Verwandtschaft, jedenfalls wenn's nicht gerade ein GTI ist. Den haßt man freiheraus, führt sich dieser Lümmel doch so unmöglich auf wie man selbst, ohne aber die amtlich anerkannte »Eingebaute Vorfahrt« wirklich zu besitzen.

Von Golf-Fahrer zu Golf-Fahrer

ANDERE GOLFER

Im Straßenverkehr versucht der Golfer zu ignorieren, daß um ihn herum unzählige andere Menschen den gleichen Wagen fahren wie er. Er fürchtet sich ein bißchen, zu diesen vielen anderen ins Auto zu schauen, so als könnte er da seinen eigenen Doppelgänger sitzen sehen und sich zu Tode erschrecken. Wenn er so durch die verstopfte Stadt fährt, hat er häufig das Gefühl, sein Golf gehöre gar nicht ihm privat, sondern sei so eine Art halböffentliches Taxi für Selbstfahrer. Auf der Flucht vor dem Gefühl, nicht die Bohne einmalig zu sein, fällt der unruhige Blick des Golfers aufs Armaturenbrett. Da klebt der Fotohalter mit dem Lichtbild, das der Lebenspartner vor vier Jahren im Foto-Fix-Automaten am Bahnhof aufgenommen hatte. Gerettet!
Unter Golfern spricht man nicht so gern über seinen Wagen. Man fürchtet, der Zuhörer habe dieselbe Golf-Geschichte wenn nicht bereits zehnmal selbst erlebt, so doch sicher 20 mal erzählt bekommen. Und aufregend kann die Anekdote schon theoretisch nicht sein. Schade. Der ebenfalls klassenlose Fußball bringt Menschen unterschiedlicher Herkunft eher zusammen als die verbindende Entscheidung für einen kompakten Kleinwagen mit Werkzeugcharakter.

VETERANEN

Viele der bisher produzierten 9 Millionen Golfs haben bereits den Weg allen Fleisches hinter sich. Nicht alle ihre Besitzer haben sich gleich einen Anschluß-Golf hingestellt. Daher gibt es viele Veteranen: Ein paar, die gar kein Auto mehr fahren und der guten alten Zeit ihrer Mobilität hinterhertrauern; und viele, die in andere Typen umgestiegen, meistens wohl aufgestiegen sind. Sie zählen zu den sympathischen Karrieristen, die ihre bescheidene Vergangenheit nicht verleugnen, sondern sich mit leuchtenden Augen an sie zurück erinnern. Von der IKEA-Ausstattung der ersten Wohnung sind nur ein paar besonders romantische Kult-Stücke übriggeblieben, Spaghetti mit Tomatensoße wird (statt täglich) nur noch aus nostalgischen Gründen gekocht. Jeder Golf, an dem sich ihr großer Wagen vorbeischiebt, bringt ein paar wehmütige Erinnerungen an die schönen Jahre ins Gedächtnis, als noch nicht alle Weichen gestellt waren. Man möchte zwar nicht tauschen, aber gelegentlich mal einen Tag lang zurück – das wäre nicht schlecht. Diese Leute hoffen, daß der Golf noch nicht ausgestorben sein wird, wenn die eigenen Kinder ins Führerscheinalter kommen. Keine Sorge, Freunde!

DARF EIN CHEF GOLF FAHREN?

Herbert Schäfer, der Design-Chef bei Volkswagen, fährt Golf. Er behauptet sogar von sich, er denke »golfisch«. Doch nehmen wir ihn nicht zu repräsentativ und ernst, denn ab und an kommen Burschen seines Zuschnitts Beträge in der Größenordnung von 480 Millionen Mark abhanden.
Auf die Frage, warum er im Golf vorfährt, erwartet man von einem Chef die Antwort: »Weil mein Wagen gerade in der Werkstatt ist und AVIS keinen besseren Wagen da hatte.« Wenn der Chef jedoch verkündet, daß er immer und freiwillig Golf fährt, so wird man Gründe hören wollen. Dem Chef bleibt nun nichts anderes übrig, als dieselben Argumente für den Golf zu benutzen, die auch die einfachen Leute immer bringen. Und schon hat er sich doppelt blamiert: bei den Werktätigen wegen übler Anbiederung, bei anderen Chefs wegen seiner Kleinkariertheit.
Wenn ein Chef schon keinen der bewährten Nobelschlitten fahren will, so sollte er sich einen besonders exotischen Wagen leisten, mit dem er beweist, daß er anders ist als die graue Masse der Chefs, ein Dynamiker mit Lebensphilosophie. Natürlich drängen sich große Wagen auf. Aber auch ein kleiner TR6 Roadster, absolut unbequem und anfällig wie er ist, macht was her. Doch all diese teuren Sammlerstücke beeindrucken nur wenig im Vergleich zu einem R4 oder einer Ente. Der Chef, der in einem Noch-nicht-Auto-Auto herumfährt oder – noch besser! – sich darin herumchauffieren läßt, begegnet nur staunenden Gesichtern. Er saugt sich ein paar knallige Begründungen für die seltsame Wahl aus den Fingern und wird Branchengespräch.

»Bei meiner ersten Bewerbung um einen Auftrag über 140.000 Mark – ich hatte als Außenseiter keine Chance – habe ich mir geschworen: ›Wenn ich den Auftrag kriege, fahre ich auch weiterhin R4!‹ Was soll ich sagen, ich habe den Auftrag an Land gezogen!« Oder: »Vorher hatte ich einen neuen Achtzylinder-Jaguar. In dem Auto hat mich die Bequemlichkeit so eingelullt, daß ich keine Ideen mehr hatte. Im unbequemen R4 hingegen kann ich gar nicht so schnell aufs Band sprechen, wie mir zündende Gedanken kommen. Wenn mir mal gar nichts mehr einfällt, ist es gut zu wissen, daß ich einen R4 in der Garage habe.« Natürlich ist das alles Blabla. Aber es beeindruckt ungeheuer. Ganz im verborgenen kann man ja irgendwo einen schicken Wagen verstecken und damit herumfahren, nachdem man sich einen falschen Bart angeklebt hat. Oder den Golf aus der Geheimgarage holen.

PROMINENTE, DIE GOLF FAHREN SOLLTEN

Wir lieben Prominente, die trotz ihrer großartigen Erfolge noch »normal« geblieben sind. Sie verdienen über 20.000 Mark netto in schlechten Monaten, aber sie teilen unsere Sorgen und unseren Geschmack. Sie haben Angst vor Verbrechen, Krebs oder sonstwas, es nervt sie der Schulstreß der Kinder und ihr eigener 14-Stunden-Tag. Ihr Haus haben sie eher bürgerlich eingerichtet, manchmal kaufen sie sogar bei Aldi ein. Deutsche Prominente sind nette Menschen wie du und ich, auch und gerade Harald Juhnke.
Sollen solche Leute, die jedes Jahr unzählige Stunden im Auto von Termin zu Termin hetzen, einen Golf fahren? Nein, den netten Prominenten gönnen wir die Nobel-Limousine mit allen Extras. Auch im 560 SEL bleiben sie die liebenswerten Ideal-Nachbarn, denen man nichts neiden kann. Als Zweitwagen oder für die Kinder können sie sich ja einen Golf hinstellen.
Der Golf eignet sich als Fahrzeug der Prominenz nur für die wenigen Berühmtheiten, die von Berufs wegen Objektivität, Bescheidenheit und Gleichheit verkaufen müssen. Die Sprecher der Tagesschau brauchen einen Golf. Oskar Lafontaine sowieso. Dazu kommen noch ein paar jugendliche Prominente: Desirée Nosbusch stecken wir in ein irre freches Cabrio, ebenso die gesamte Damenriege des deutschen Tennis. Und Thomas Gottschalk (natürlich GTI 16 V).
Dann gibt es noch die Prominenten, die aufgrund sehr kurzer Auftritte berühmt sind. Ihnen wird nicht unterstellt, daß sie hart arbeiten, also sollen

sie gefälligst ein angemessenes Auto fahren: die Fernsehansagerinnen, Karin Tietze-Ludwig und Elmar Gunsch. Irgendwie möchte man auch Rita Süßmuth und Frank Elstner in einen Golf wünschen.

Der exotische Golf

In einem Land, dessen Bewohner es normal finden, den Benzinstand ihres Autotanks mit einem Meßstäbchen zu prüfen, macht ein Golf unheimlich Furore. Sprechen wir über Obervolta? Nein. Papua-Neuguinea? Nein. Es geht um die Deutsche Demokratische Republik. Hier wird jedem Golf begehrlich hinterhergeschaut. Doch der Standardwagen der Werktätigen (West) liegt außerhalb der Reichweite der Ost-Arbeiter und -Bauern. Schon als 1977 in einer einmaligen Aktion die legendären 10.000 Golfs in Wolfsburg geordert wurden, murrte das Ost-Volk darüber, daß das Elite-Auto für rund 30.000 Ost-Mark wohl nur an Bonzen und Reiche gehen würde. So war's denn auch, es sei denn, man hatte reiche Verwandte im Westen, die einem die tolle Kiste durch den »Geschenkdienst Jauerfood Genex« (Sitz Stockholm) ins Haus schicken ließen und dafür 2.500 DM Aufgeld zum VW-Listenpreis zu blechen bereit waren.
Wenn man heute einen Golf kaufen will, muß man jemanden kennen, der jemanden kennt, und am Ende mehr für den lang gebrauchten Wagen zahlen als der seinerzeit neu kostete. Als Dreingabe gibt's drei oder vier rare Ersatzteile. Wenn es darum geht, ein Traumauto wie den Golf zu ergattern, sind die absonderlichsten Koppelgeschäfte üblich: »Fleischer sucht Golf bis 60.000 Mark. Biete wöchentliche Versorgung mit 2 kg Wurstwaren, Mitbenutzung unserer Datscha und Inpflegenahme einer ungeliebten Großmutter o.Ä.« Käufer und Verkäufer beschnüffeln sich vorsichtig und lange, leben doch beide in der Angst, mit einem Agenten des Stasi ein Scheingeschäft abzuwickeln und ihren Einsatz zu verlieren, weil sie unterderhand Preise aushandeln wollten, die offiziell nicht erlaubt sind.
Die Führung der DDR ist vom Golf begeistert. Ab 1989 sollen in Karl-Marx-Stadt VW-Motoren gebaut werden, mit denen man Trabant und Wartburg nachträglich zu Autos aufrüsten kann.

USA

Eine VW-Anzeige behauptete 1979, der Golf sei das »meistgeklaute Auto Amerikas«. Woran lag diese Popularität? Kann man einen Golf nur leichter knacken als einen Porsche, Dodge, Ford, Toyota oder BMW? Die große Nachfrage nach Golfs kann es jedenfalls nicht sein. Die Amis haben sich zwar für den Käfer begeistert. Der Golf aber hat sich als der Ladenhüter erwiesen, den Marktforscher von Anfang an in ihm gesehen hatten – aber Wolfsburg wußte alles besser und meinte, die Liebe der Amis zum Stufenheck ignorieren zu können. Reingefallen, die Golf-Manufaktur in Montgomery hat kurz vor ihrer Einschläferung 1987/88 nur 250 Golfs pro Tag gebaut und dabei ein Minus von 250 Millionen im Jahr eingefahren.
Wurde Golf nur so häufig gestohlen, weil sich ein gebrauchter Golf in Amerika nicht mehr absetzen ließ und sich daher viele Golf-Besitzer für Versicherungsbetrug entschieden? Oder brauchte man ein paar Golfs zum Ausschlachten, weil die VW-Ersatzteilversorgung in den USA nicht klappte?

Auf freier Wildbahn

FAHR-STIL

Die ungetrübte Normalität des Golfers läßt ihn zu einem Fahrstil neigen, dessen psychologische Wurzeln sich auch beim Hering beobachten lassen. Als Schwarmfisch beschränkt er eigene Entscheidungen auf das nötigste und orientiert sich an den Rücklichtern des Vordermannes. Der Schwarm der Golfer kennt keinen Leithammel, keine Sozialhierarchie und keinen Gruppenzwang. Er zeichnet sich vielmehr durch ein schwimmendes Gleiten aus, dessen Ordnungselemente uns Menschen wohl noch lange unverständlich bleiben werden. Der Golfer geht in einem vertrauten Schwarm ganz auf, der ständige Geborgenheit bietet, auch wenn sich seine Gestalt in jeder Sekunde verändert. Im Golf-Schwarm hat der Golfer das Gefühl, es könne nichts passieren: Mich wird's schon nicht erwischen, wo doch so viele in der Nähe sind, die sich von mir nicht weiter unterscheiden. Außerdem kann man im Schwarm keine Fehler machen, und wenn, so gehen sie in der Masse unter.
Ein weiteres prägendes Element des Fahrstils ist die Angst. Im Golf hat man

das Gefühl, mitten im Geschehen zu sitzen. Keine kleinen Fenster, keine ausladenden Motorhauben, keine dicken Türen, die dem Golfer Distanz verschaffen und hinter denen er sich verschanzen kann. Der Golf ist keine Rüstung. Jeder LKW und jeder Quattro bewirken Alpbilder vom Zerquetscht- und Zermalmtwerden. Solange er nicht in das Deutschlandtreffen der Pandas gerät, verhält sich der Golfer aus Angst defensiv.
Diese zahme und zivilisierte Durchschnittlichkeit führt allerdings auf der anderen Seite immer wieder zu plötzlichen Ausbrüchen wie im Falle des 22-jährigen, natürlich ledigen Installateurs Bernd Schwarz, der in einer Oktobernacht auf einem Autobahnparkplatz absichtlich einen Fußgänger umgefahren und getötet hat und dann in seinem weißen GTI morgens um vier ganz ohne Licht zu einer rasenden Geisterfahrt auf die BAB bei Denkendorf gestartet ist. Er erwischt einen Toyota frontal: drei Tote, ein Verletzter.
Der Golf eignet sich besonders gut für Amokfahrten, denn nichts wirklich Wertvolles steht auf dem Spiel, weder hinsichtlich des Durchschnittsautos, noch seines Durchschnittsfahrers. Ein Unfall wäre mal eine Abwechslung. Wer hätte nicht schon mal auf dem Dach einen Hochhauses den Wunsch verspürt, einfach runterzuspringen? Glücklicherweise sind Golfs in der am meisten verkauften Grundversion nicht sonderlich spurtstark.
Ein unfreiwilliger Teil des Golf-Stils sind die unglücklichen Ampelstarts. Wie sattsam bekannt sorgt die Jet-Tronic für regelmäßiges Absterben des Triebwerks an der Ampel und macht den erneuten Start mit heißem Motor zu einem Glücksspiel. Peinlich, peinlich, alle glauben, wir seien unfähige Anfänger, und hupen so lange, bis wir schließlich im Eifer den Schlüssel im Zündschloß abbrechen.
Ein wichtiges Feld der Selbstbestätigung betreten die Besitzer anderer Marken allerdings wesentlich häufiger als der Golfer: Wie starte ich meinen Wagen im Winter mit Gefühl? Und: Wie schiebe ich meinen Wagen stilistisch überzeugend an? In dieser Hinsicht macht Golf wenig Ärger. Schade.

IM (ÜBERHOL)MANÖVER

Welches menschliche Verhalten könnte eine Person besser charakterisieren als der Überholvorgang? Da bricht das wahre Selbst durch, auch wenn man sich noch so laut Besserung geschworen hatte. Aus der Deckung der eigenen Blechschachtel heraus werden archaische Instinkte in den umgebenden Verkehrsbrei eingerührt. Wäre es nicht so geschmacklos, würden Psychologen

ihren Patienten raten, aus therapeutischen Gründen täglich ein paar rücksichtslose Runden voller Überholmanöver um den Block zu drehen, um wieder ins seelische Gleichgewicht zu kommen.
Manche Automarken zeichnen sich durch ein besonders typisches Überholverhalten ihrer Besitzer aus. Da wäre zum Beispiel der Hornissenflug des BMW zu nennen: ruckartig rechts und links vorbei, plötzlich bis auf Tuchfühlung ranfahren, dann wieder – unmotiviert – zurückfallen lassen. Oder Mercedes: Blinker links an, Fernlicht an, bis zur gegnerischen Stoßstange aufschließen und warten, bis der Vordermann die Nerven verliert.
Was beobachten wir beim Golf? Nichts. Der Golf-Fahrer interessiert sich nicht sonderlich fürs Überholen. Wenn der Vordermann zu langsam ist, zieht er an ihm vorbei, ohne Ansehen der Person. Ansonsten bleibt er in Reih und Glied. Es bereitet ihm keine Freude, einen Porsche an der Ampel oder sonstwo »stehen zu lassen«, er zählt nicht die Mercedesse, die er heute schon geschafft hat. Nichtmal mit anderen Golfs will er sich messen. Der Golfer ist weder ein Raubtier, noch ein Kämpfer, er kennt keine natürlichen Feinde und auch keine typischen Opfer.
Nur mit der Begründung für diese Zurückhaltung strengt er sich etwas an. Selbstverständlich wird wiedermal seine überlegene Vernunft bemüht: Überholen darf nicht zur Bessenheit werden; dem Wagen schadet die extreme Belastung beim Überholmanöver; langsam fährt man sicherer.
Der Golfer läßt sich treiben. Auf der Autobahn entscheidet er sich zwar für den Bleifuß. Trotzdem bleibt seine Überholbilanz im Gleichgewicht: Bergab zieht er an einigen Autos vorbei, bergauf fahren die Hubraumstarken ihm davon. Er setzt Geschwindigkeit nicht mit Können gleich. Im Stadtverkehr kommt es ohnehin nicht auf den Wagen an, sondern auf die Entscheidung für die richtige Spur zur rechten Zeit. Solche Probleme interessieren den Golfer schon eher. Hier sind Vernunft, Planung und Wahrscheinlichkeitsrechnung gefragt, bei innerstädtischen Denksportaufgaben kann der Igel schneller sein als der Hase, ohne dabei aber mehr als vier Beinaheunfälle pro Stunde zu verursachen.
Der Golfer ist stolz auf den hohen Grad von Zivilisiertheit, den er erreicht hat, und fühlt sich damit den meisten derer überlegen, deren Autos mehr hermachen als ein Golf. Und wieder: zurecht.

DER GOLF GEWINNT PROFIL

Natürlich leiden sämtliche Golf-Fahrer an ihrer unbestrittenen Profillosigkeit. Der Mehrheit gelingt es, sich damit abzufinden und höchstens im geheimen kühne Träume von Führerschaft, Glamour und Rache zu träumen. Doch läßt sich auch eine wachsende Zahl von Übermütigen ausmachen, die sich nicht an den Familienkodex halten wollen. Diese Minderheit ist 8 % groß und hat sich für GTIs entschieden. Ihr Golf besitzt großes schauspielerisches Talent, glauben sie wenigstens. Auf der Autobahn möchte man ihn fast für einen 5er BMW halten, der kontinuierlich auf der linken Spur bleibt und erst in letzter Sekunde von 200 auf 120 km/h runterbremst, weil irgendeine unbelehrbare Reiselimousine nicht begriffen hat, daß die GTI-Lichthupe ernst gemeint war. Auf mehrspurigen Straßen in der Stadt fährt er während des Berufsverkehrs auf der Trennlinie zwischen seinen beiden Fahrbahnen, damit er nicht von einem seitlichen Nachbarn eingekeilt ist, wenn er stehenden Linksabbiegern rechts ausweichen möchte oder an rechts in zweiter Reihe parkenden Hindernissen links vorbeischlüpfen will. An der Ampel gibt der GTI seine Lieblingsrolle: »Porsche«.
Eigentlich bemitleidenswert, bleibt doch vor lauter Chamäleon kein Raum für eine eigene Identität. Der GTI-Fahrer setzt Fahrverhalten und auch andere automobile Emotionen ganz unterschiedlicher Fremd-Marken zu einer Mischung zusammen, deren Beliebigkeit ihr das Prädikat »postmodern« sichert und den GTI-Stil damit zu einem Monument unserer Gegenwartskultur aufwertet – «Everything goes«.
Immer mehr jüngere Normal-Golfer orientieren sich am GTI-Verhalten und ahmen ihr Vorbild nach, soweit das ihre glücklicherweise schwächeren Motoren zulassen. Sie wirken dabei noch peinlicher als das teurere Idol, zumal wenn sie, wie üblich, PS-Mängel durch großzügige Ausstattung mit Dezibel wettmachen wollen. Das eine oder andere absichtliche Loch im Auspuff sorgt für jenes charakteristische, sportive Röhren, das den Stimmbruch noch nicht erreicht hat und grundsätzlich mit unvorstellbar lauter Pop-Musik vermischt wird. Auch im Winter werden zur besseren Beschallung der Innenstadt alle Scheiben runtergekurbelt, damit bloß niemandem entgeht, daß wir kommen, was wir hören und in wie unglaublich druckstarken Ausführungen Auto-Boxen heutzutage angeboten werden.

Der Psycho-Golf

PÄDAGOGISCHER EINSATZ

Wie traurig wäre es um das Schicksal unseres Landes bestellt, gäbe es nicht Menschen, die sich ihrer sozialen Verantwortung ständig bewußt und sie (und sich) jederzeit spontan aus dem Bauch einzubringen bereit sind. Wo sie gehen und stehen, versuchen sie, irgendwie irgendwo positiv verändernd einzugreifen, meist aus Betroffenheit. Besonders konkret betroffen fühlen sie sich irgenwo auch vom Verkehr. Niemand darf sich zum Zeigefingerheben so berufen und qualifiziert fühlen, kaum jemand hat soviel Zeit, genau das zu tun, wie unsere Pädagogen, deren Golf man an dem unvermeidlichen Aufkleber mit der weißen Friedenstaube auf blauem Grund erkennt.
Die Lehrerschaft, arbeitslos oder voll besoldet, und das Heer der Sozialpädagogen werden noch verstärkt um die Gruppe der spontanen Hobby-Pädagogen aus Betroffenheit, die einfach nur Gutes tun will. Der Feind ist schnell ausgemacht: alle großen Autos – die fortschrittsgläubigen Feinde wirklichen Fortschritts also, die Verschwender, die Barbaren. Zündschlüssel drehen, und auf in den Klassenkampf! Die rostgefährdete Phalanx der Golf-Pädagogen setzt sich vor den frechen Daimler, damit der Bonze endlich mal lernt, daß das Tempolimit »30« auch für ihn gilt. Durchs geöffnete Fenster wird dem Feind im Sommer knappe Belehrung zuteil: »Du kommst schon noch früh genug an, du fetter Faschist!« Auf der Autobahn bekommt der drängelnde Gegner eine wichtige Lektion, wenn der pädagogische Golf ihn nicht vorbeiläßt und genau dann auf die rechte Spur wechselt, wenn der Eilige ihn rechts überholen will. Bis runter auf 50 km/h nervt der Golfer den Verfolger, wenn möglich eine Viertelstunde lang. Das wird der asoziale Besserverdiener sich merken.
Natürlich ist der Lehrer-Golf im Recht. So wie der Lehrer immer im Recht ist. Doch was erreicht er schon? Nichts. Dieses Schicksal verfolgt den Lehrerstand bekanntlich. Deshalb gehen soviele von denen in die Politik.

DIE ABSCHLEPP-HALLUZINATION

Diese Anfallskrankheit gefährdet das Wohlbefinden des Golf-Fahrers am meisten. Sie wird in Fachkreisen noch weit unterschätzt und könnte in weni-

gen Jahren zu schweren Folgelasten auf seiten der Sozialgemeinschaft führen.
Der Golf-Fahrer hat seinen Wagen irgendwo abgestellt und kehrt zu seinem Fahrzeug zurück. Doch sein Golf ist verschwunden. Die nun folgende plötzliche Identitätskrise und Desorientierung verursacht extremen Streß. Ist der Wagen abgeschleppt worden? Aber man hatte doch vorbildlich geparkt. Trotzdem abgeschleppt? Das könnte bedeuten, daß man den Sinn von Verkehrsschildern nicht mehr begreift, obwohl man doch schon seit Jahren aufgrund von Paranoia die weitere Umgebung jedes Parkplatzes nach eventuell übersehenen Verbotsschildern absucht. Oder hat einer den Wagen geklaut? Der Golf-Fahrer bekommt immer mehr Angst, sich auf die Straße zu wagen, muß er doch davon ausgehen, daß überall das Gewaltverbrechen lauert, wenn es schon so weit gekommen ist, daß irgendwer sogar seinen wertlosen Gammel-Golf geklaut hat. »Oder habe ich nur vergessen, wo ich meinen Wagen geparkt habe? Welche Krankheit ist das, die mein Gehirn von innen zerfrißt?« Morbus Alzheimer.
Besonders gefährlich wird die Abschlepp-Halluzination, wenn ihr die

Gefunden-Halluzination vorausgeht. Zielsicher steuert der Golf-Fahrer sein geparktes Auto an und versucht, es mit seinem Schlüssel zu öffnen. Funktioniert nicht. Schloß kaputt? Weiterprobieren. Dann trifft es ihn wie der Schlag: »Das ist gar nicht mein Auto!« Wieder tritt ein schlimmer Identitätsverlust mit allen seinen gefährlichen Folgen auf: »Mein Wagen ist austauschbar, also bin ich auch austauschbar.«
An dieser Stelle ein Apell an das Verantwortungsbewußtsein der Leser: Verraten sie einem gefährdeten Golfer unter keinen Umständen, daß für sämtliche der neun Millionen Golfs nur 2136 verschiedene Schlüsseltypen existieren! Jeder Golf-Schlüssel paßt also in 4212 Golfs von fremden Besitzern. Oder, noch schlimmer: 4212 Fremde könnten problemlos meinen Golf aufschließen und damit wegfahren!

MANISCHE GLÜCKSGEFÜHLE UND DEPRESSIONEN

Nur die wichtigsten Weihnachtsgeschenke in der Kindheit können mit dem Glücksgefühl konkurrieren, das aufkommt, wenn wir mit dem Sprit doch noch bis zur Tankstelle gekommen sind. Andersherum ausgedrückt: Gibt es einen besseren Grund, sich das Leben zu nehmen, als nächtliches Stehenbleiben in menschenleerer Umgebung, als man gerade eilig zu einer wichtigen Verabredung fahren wollte? Oftmals ist es nur ein Ersatzkanister, der den Unterschied zwischen höchstem Glück und schwärzester Verzweiflung macht. Doch halt, das stimmt so nicht! Es kann noch schlimmer kommen als kein Kanister im Kofferraum: der Kanister ist leer, weil Ingrid ihn neulich nicht wieder aufgefüllt hat!

GARFIELD-HYPNOSE

Die Mediziner beobachten seit einigen Jahren einen verstärkten Trend zur Selbstbehandlung. Vor allem nichtmedikamentöse Methoden haben Konjunktur. Auch vor der Hypnose macht diese Entwicklung nicht halt. Doch bisher konnte die Frage nicht geklärt werden, was sich am besten zur Hypnose eignet: Fußballschuhe, Würfel, Wimpel oder Garfield?
Daß sich ein Mensch am liebsten durch hin- und herbaumelnde Objekte in Trance versetzen läßt, die vom Innenspiegel seines Autos herunterhängen, verwundert niemand, fühlt sich der Mensch bekanntlich im Auto so geborgen und sicher, wie zuvor nur in Mutterleib und Kinderwagen. Auch im

Kinderwagen hingen irgendwelche Gegenstände herunter, die vor dem Kindskopf umherhüpften und am besten noch rasselnde Geräusche machten.
Wie könnte ein erwachsener Mensch die an sich verlorene Zeit im Auto nützlicher verwenden als durch Regression in frühkindliche Stadien seiner Entwicklung? Im Dunkeln könnte er sich sogar einen echten Schnuller gönnen – anstatt des weniger sozial auffälligen Ersatzes in Form einer Marlboro.
Manche Golf-Fahrer wollen auch dem nachfolgenden Verkehr eine Freude bereiten und postieren einen Wackel-Dackel auf der Hutablage, der wie ein schwerer Fall von Hospitalismus selbstvergessen mit dem Kopf schaukelt und dabei glücklich grinst. Eine besonders beruhigende Wirkung auf das Verfolgerfeld übt auch eine in Leuchtfarbe gehaltene Plastikhand aus, die an einer Spiralfeder befestigt ist und dem Hintermann durch die Scheibe zuwinkt. Wunderbar.

SEX IM GOLF

Führende Sexual-Theologen behaupten, daß der Golf die Missionarsstellung unter den Autos einnimmt. Die Betroffenen finden, daß man die hervorstechenden Golfer-Merkmale Durchschnittlichkeit, Kraftarmut, Sparsamkeit und bescheidene Vernunft nicht ungeprüft auf alles übertragen sollte, was den Golfer ausmacht.
Sex im Golf ist mehr als das Erlebnis der Enge, dessen erotischen Qualitäten sich kein Fahrgast entziehen kann, der sich mit zwei anderen auf die Rückbank quetschen muß. Golf-Fahrer berichten davon, daß ihr Wagen als Visitenkarte kein Leistungsversprechen beinhaltet und daher schon die erste Paarung auf dem Rücksitz häufiger als in anderen Autos eine angenehme Überraschung zu werden verspricht, da auf dem Golfer kein versagensfördernder Leistungsdruck lastet.
Insofern gibt der Golf nicht nur der neugierigen Jugend eine ideale Liebes(Rost)laube ab. Und nicht selten trifft der Sexualkundler während seiner nächtlichen Exkursionen auf Golfs, die in den dunkelsten Winkeln öffentlicher Parkplätze in den Stoßdämpfern wippen und dem Interessierten den Blick auf das Geschehen im Innern verstellen, weil die Scheiben von innen vollkommen beschlagen sind.
Die äußere Karosserie hingegen wurde bisher von der Golfer-Gemeinde noch nicht für den Paarungssport entdeckt, obwohl die schräg nach vorn

abfallende Motorhaube genau die richtige Höhe zur unzüchtigen Handlung aufweist und die Abstrahlung des warmen Motors sogar in den drei kalten Jahreszeiten heiße Abenteuer bei stellenweise spärlicher Bekleidung erlaubt. Zu wenigen Golfern und Golferinnen dürften zudem sämtliche Vorteile der Vorderachsfederung bekannt sein.
Dennoch sei dem Golf-Fahrer Vorsicht angeraten. Es kann durchaus notwendig werden, einen Golf solange zu verschweigen und stattdessen mit dem Taxi vorzufahren, bis man eine neue Flamme fest an sich gebunden hat und jeder Wagen verziehen wird.

Unterwegs

BERUFSVERKEHR – DER GOLFSTROM

In demselben Maße, in dem der Kirchenbesuch an Bedeutung verliert, übernimmt der Berufsverkehr mehr und mehr die Verantwortlichkeit für das Seelenheil der Bevölkerung. Wo, wenn nicht im täglichen Stop and Go zwi-

schen Zuhause und Arbeit, findet der moderne Mensch noch Zeit zu Andacht und Besinnung? Wo ließe sich die Frage nach dem Sinn des Lebens und nach Gott angemessener stellen als inmitten der kriechenden Herde des Herrn, die sich nach Seinem Plan – für uns Erdenmenschen nicht immer verständlich – über die asphaltierten Reste Seiner Schöpfung bewegen?
Der Berufsverkehr lehrt uns die Demut, die im restlichen Leben unter Mammon und Anspruchsdenken verschüttet wurde. Allein im Golf und als Teil des Phänomens Berufsverkehr wird dem Golf-Fahrer die Kleinheit seiner Existenz bewußt. In seiner bescheidenen, fahrbaren Kapelle hält er, noch nicht wirklich aus dem Schlaf erwacht oder nach der Arbeit wieder fast im Koma und daher besonders offen, innere Einkehr.
In einem fort stimmen diverse Fröhliche Wellen aus dem Äther ergreifende Choräle zum Mitsummen an. Alle halbe Stunde eine kurze Predigt, erbauliche Gleichnisse über das ewige Irren des Menschen nach der Vertreibung aus dem Paradies in der modernen Form der Kurznachrichten.
Nur am heiligen Sonntag findet kein Berufsverkehr statt. Wer ihn vermißt, so Sein Plan, kann ja mit seinem Golf eine traditionelle Kirche ansteuern, in der man allerdings nicht rauchen oder genüßlich in der Nase bohren darf.

SONNTAGSFAHRER

Der Drang der Golf-Fahrer, ihren Wagen sonntags als mobile Aussichtsplattform zu benutzen, kennt keine Grenzen. Vielleicht ist der Golfer besonders neugierig und weltoffen, vielleicht fällt ihm sonntags vor lauter Langweiligkeit auch nur die eigene Decke auf den Kopf. Was immer seinen sonntäglichen Bewegungsdrang verursacht: womöglich schiebt er einen vernünftigen Grund vor, Fitness-Vorsatz oder unaufschiebbarer Besuch rangieren ganz vorn.
Die schöne Umgebung wird durchfahren – aus Gründen der Entspannung. Golfer sind sich sicher, ihrer Gesundheit ungemein dadurch genützt zu haben, daß sie durch Wälder und an Feldern vorbei gerollt sind. Je mehr Kilometer dabei zurückgelegt wurden, desto größer ist der Stolz. Besonders naturliebende Golfer freizeiten nach folgendem Verfahren: vier Stunden Anfahrt, halbe Stunde Wandern, zwei Stunden uriger Waldgasthof mit Apothekenpreisen, dreieinhalb Stunden Rückfahrt (denn Sport ist immer gut für die Gesundheit – auch Rennsport). Zuhause erteilt man sich ein Sehrgut in Heimatkunde, hat man doch vier weitere weiße Flecken auf der

Landkarte erledigt: Kirschkern-Beutelfels, Hoffmannsthal, Alt-Hakle und Feucht am Lemper-See.
Auf dem Wege nimmt der Golfer jede Gelegenheit wahr, sein Fahrkönnen vorzuzeigen, und geizt auch nicht mit erklärenden Worten für seine Befahrer, die ja – man lernt nie aus – selbst Autofahrer sind oder später einmal sein werden. Selbst solche Manöver, die wenigstens 135 PS und Vollgas erfordern, kündigt er in Ruhe an, bevor er sie mit Vollgas und 50 PS durchführt. Glücklicherweise sind andere Verkehrsteilnehmer über den Wochentag informiert und verhalten sich so, daß der Golfer seinen Mitfahrern zwar die Wirkungsweise der höchstbelastbaren Scheibenbremsanlage, nicht aber die der Knautschzone vorführen muß.
Nicht selten läßt der Golfer am Sonntag fünf gerade sein und erlaubt seinem Ehepartner oder Schätzchen die Führung des Fahrzeuges. Denn noch mehr als zum Fahrer eignet er sich zum Beifahrer. Nur zu gern teilt er die Erfahrungen und Einsichten eines reichhaltigen Golf-Fahrer-Lebens, wie er sie im täglichen Berufsverkehr gewonnen hat, seinem Opfer hinterm Lenker mit, welches sich im Gegenzug bemüht, jeden erdenklichen Fehler zu begehen.

AUTOBAHNVERKEHR

Aus dem ADAC-Hubschrauber betrachtet präsentiert sich der Verkehr auf der Autobahn als eine golf-gemusterte Tapete, vor der sich die unbarmherzigen Kämpfe der rasenden Zwei-und-mehr-Liter-Klasse auf der einen, der linken, der zähe Stellungskrieg der kriechenden Brummis auf der anderen Spur (richtig geraten: der rechten) abspielen. In den Fugen zwischen diesen beiden Schauplätzen befinden sich die unzähligen Golfs als bewegliche Füllmasse, immer ein bißchen auf der Flucht: vor den Raubtieren links und der zeitraubenden Depression in endlosen Dieselschwaden rechts.
Der Golf fühlt sich auf der Autobahn nicht zuhaus, auch wenn er durchaus autobahntauglich sein mag. Der Volkswagner liegt mit 141,3 km/h Durchschnittsgeschwindigkeit leicht unter dem Mittelwert aller Marken (= 145,4 km/h), weit abgeschlagen hinter Porsche (177,7 km/h) und Jaguar (161,3 km/h). Viele Golfer können sich nicht an die Geschwindigkeiten gewöhnen, die mit ihrem Wagen möglich sind, weil man im Golf dazu neigt, bereits bei 122,3 km/h die Schallmauer näherkommen zu fühlen.
Gern verursacht der Golfer durch seine gutgemeinte Bereitschaft zum Zurückstecken schwere Unfälle. Kaum läßt sich sein Mitgefühl für all die

bremsen, die vom Beschleunigungsstreifen der Auffahrt aus in den Verkehrsstrom auf der Autobahn hineinspurten wollen. Die Armen sollen nicht warten müssen. Großzügig und unerwartet zieht der langsame Golfer vor einer Auffahrt prophylaktisch auf die linke Spur, selbst wenn er gar keinen Autobahn-Neuling auf der Auffahrt erblicken kann. Und der rasende Daimler hinter dem Golf hatte gedacht: Alles frei, kein Verkehr, Gas und links dran vorbeiziehen ...

URLAUBSVERKEHR

Selbstverständlich sind Golfer zu vernünftig, um sich in den Ferienstau zwischen Flensburg und Adria zu zwängen. Eigentlich. Sie planen Abfahrtszeiten und Routen vorbildlich lange im voraus und lauschen unterwegs dem Verkehrsfunk. Wie alle anderen vernünftigen Golfer landen sie dann doch im Stau, aber eben in der schönen Gewißheit, daß dieser Stau sich auf raffinierten Schleichwegen abspielt, die der Masse der bornierten Autofahrer unbekannt sind[1].
Zur Erklärung dieses Umstandes wird gern das Phänomen der Lemminge bemüht, da auch diese wunderlichen Tierchen wie auf ein mysteriöses Kommando hin scharenweise zusammenkommen und sich in die gleiche Richtung bewegen, angeblich ins Verderben. Ob Urlaubsorte wie Rimini oder Marbella als »Verderben« bezeichnet werden können, sei dem Geschmack jedes Lesers überlassen[2]. Aber der Trieb der Lemminge, sich zu einer gemeinsamen Reise millionenfach zusammenzurotten, weist unbestreitbare Parallelen zum Autourlauber auf, auch wenn es der Forschung bisher noch nicht gelungen sein mag, die genauen Ferientermine der Lemminge zu bestimmen.
Obwohl der Golfer vorgibt, am Urlaubsgeschiebe auf den Autobahnen gen Süden nicht teilnehmen zu wollen, so genießt er doch das tiefe Erlebnis dieser Massengesellung – dabeisein ist alles. Am Anfang geht dem Golf-Fahrer die Sache noch unheimlich auf die Nerven. Doch schon nach zwei Stunden hat er eine gerade aufkeimende Platzangst besiegt. Er stellt beruhigt fest, daß es den Autos um ihn herum auch nicht besser geht. Nur vor deutschen Gerichten (jedenfalls manchmal), vor Gott und vor der Institu-

---

1 Eine Untersuchung besagt, daß 32 % der Autofahrer, die den Umleitungsempfehlungen des Verkehrsfunkes gefolgt sind, dann doch in einem Stau steckengeblieben sind. An jedem Tag stehen 43 % aller Autofahrer wenigstens einmal im Stau.
2 Nur im Falle Östereich dürfte es in dieser Frage keine zwei Meinungen geben.

tion Urlaubsverkehr sind alle Menschen gleich, selbst die, die im brandneuen S-Klasse-Mercedes in der prallen Sonne am Irschenberg braten.
Auf die erste entnervte Panik folgt eine Phase der Beruhigung, die in meditative Gleichmütigkeit mündet. Nun kommt der schönste Teil: Wie immer in Notzeiten rücken die Menschen zusammen, und der Golf-Fahrer tut den ersten Schritt. Er stellt den Motor ab, steigt aus und schiebt seinen leichten Wagen Meter um Meter vor. Seine Nachbarn verlassen zögernd ihre Karossen und tun es ihm nach. Schon kommen erste Gespräche über den gemeinsamen Schicksalsschlag auf: »Wo wollten Sie denn hin?« – »Dabei hatte der ADAC doch gesagt. . .« – »Da waren wir vorletztes Jahr. . .«.
Irgendwann kommt der Golfer mit tiefen Ringen unter den Augen an. Diese Nacht im Hotel ist immer die schönste, weil man zu müde ist, um irgendwelche Mängel zu bemerken. Im Urlaub wird man dann noch etliche Abenteuer erleben, wenn im Golf das Hinterland ergründet wird, wenn einen der Urlaubskoller in Form sinnloser Streitereien mit geliebten Mitreisenden befällt oder alkoholisierte Romanzen überlebt werden wollen. Aber gemessen mit der Intensität des 92-Kilomter-Staus bei der Hinreise, dieser zähesten Belastungsprobe neben einer Achttausender-Besteigung ohne Sauerstoff-Flasche, verblaßt alles. Der Golfer bringt das Gefühl mit nach Hause, teilgenommen und das Unvorstellbare tapfer durchgestanden zu haben. Leider gibt es bisher weder Urkunde, noch Medaille für die erfolgreiche Teilnahme an diesem motorisierten Marathonlauf.

PARKEN

Ein Argument fehlt nie beim Golf-Kauf: »Mit diesem Wagen findet man immer einen Parkplatz!« Das scheint zu stimmen. Jedenfalls sind sich die Besitzer längerer Autos sicher, daß sie nur deshalb nie einen Parkplatz finden, weil ihr Granada nicht in die Lücke paßt, die wahrscheinlich gerade von einem Golf verlassen wurde.
Vermag der Golf-Fahrer in der Stadt nicht auf Anhieb einen Parkplatz zu finden, so kommen ihm sofort Verschwörungstheorien in den Kopf, denn hier kann es nicht mit rechten Dingen zugehen. Er fährt aufgeregt und ungläubig sämtliche seiner »privaten« Abstell-Geheimplätze ab, die alle schon belegt sind, als hätte jemand die intimsten Park-Tricks aus seinem Gedächtnis herausgelesen und veröffentlicht. Das grenzt an Provokation. Schnell ist der sportliche Ehrgeiz herausgekitzelt (dies umsomehr, wenn der

Beifahrer nörgelt oder spottet), denn gäbe es ein schlimmeres Versagen als das, keinen Parkplatz zu finden?
Doch der Golfer wäre kein Golfer, könnte er nicht selbst diese aussichtslose Situation elegant meistern. Nein, er parkt nicht in zweiter Reihe, wie die grobschlächtigen Besitzer größerer Limousinen dies tun. Er nutzt den Spalt zwischen zwei längs am Straßenrand parkenden Autos, um sich quer in ihn hinein zu schieben. Der nervende Beifahrer bricht, weil nicht vorgewarnt, in Angstschreie aus und hört im Geiste schon das häßliche Scheuern von Blech gegen Blech. Aber: Links und rechts bleiben je ca. 4,8 cm Raum zu den Stoßstangen der Nachbarn frei, Fahrer- und Beifahrertür des Golfs lassen sich nicht mehr öffnen. Ohne eine Miene zu verziehen und mit der Grazie des staatlich anerkannten Schlangenmenschen verläßt der Golfer sein Fahrzeug via Heckklappe. Sein Beifahrer kraxelt ungelenk und peinlich berührt hinterher und nimmt sich vor, künftig nie wieder knallenge Minis zu tragen oder Ruhe zu geben, damit der Golfer ihn schon vor solchen Manövern aussteigen läßt.

Gewissensentscheidungen

Das Gewissen des Golf-Fahrers beschäftigt sich in erster Linie mit der Serienproduktion von guten Vorsätzen. Er nimmt sich fest vor, der eigenen Mutter oder Frau zwischendurch und ohne zwingenden Anlaß einen Strauß Blumen als Dankeschön zu schenken. Doch dann verpennt er regelmäßig die wichtigen Mutter- und Geburtstage. Und letztlich besorgt er erst dann neue Reifen, wenn ihm die Beamten eröffnen, daß seine Betriebserlaubnis erloschen ist und er so keinen Meter weiterfahren darf. »Das wird nie wieder vorkommen«, schwört er dem Wachtmeister und sich. Trotzdem kassiert er einen Flensburger Punkt und darf bis zu 300,– Mark Strafe blechen. Ab morgen wird er auch regelmäßig »vor Fahrtantritt die Funktionstüchtigkeit der Fahrzeugbeleuchtungsanlage« überprüfen und täglich in den Papieren nach dem nächsten ASU-Termin fahnden, den er nie wieder versäumen will. Wenn dieses »seltsame Geräusch« das zweite Mal auftritt, verspricht er seinem Golf unter Verpfändung seines barschel-mäßigsten Ehrenwortes, ihn demnächst seriös von der Werkstatt auffrischen zu lassen, vorausgesetzt, der Wagen lasse ihn jetzt nicht im Stich. Was passiert? Der gutmütige Golf hält durch. Aber bereits in der nächsten Woche muß er seinen Besitzer tagelang durch die flackernde Warnleuchte dazu zu überreden versuchen, wenigstens Öl nachzugießen. Doch nach fortgesetzter Wortbrüchigkeit reißt auch einem gutmütigen Golf die Geduld. Er rächt sich mit einer besonders gemeinen Panne oder sorgt (durch Anwendung wissenschaftlich noch nicht erforschter Tricks) wenigstens dafür, daß der Ersatzkanister leer ist, wenn der beleidigte Golf mittels defekter Tankanzeige seinen Fahrer zu der Euphorie verleitet, sein Wagen scheine unter sechs Litern auf 100 Kilometer zu verbrauchen. Der Golfer versteht die deutliche Ermahnung und kippt am selben Tag sogar destilliertes Wasser in die Batterie.

TANKEN

Der Golfer läßt keine Chance aus, seinen Spritverbrauch zu senken. Dabei macht seine sattsam bekannte Vernunft keineswegs schon beim Verzicht auf Kavalierstarts und Umwege halt. Auch beim Tanken profiliert er sich gern als Spritsparer, indem er an der Säule nur für 10 Mark zapft. So verschafft er sich das Gefühl, daß sein Wagen nur etwa halb soviel verbraucht wie im Prospekt versprochen.
Besonders ökonomisch wirkt die ständige Angst, daß der Sprit nicht mehr bis zum Ziel reichen könnte. Denn wenn die Tanknadel im roten Reservebereich zuckt, überlegt man vor jeder Fahrt, ob einem die Sache wichtig genug ist, um vorher nochmal Tanken zu fahren oder das Risiko einzugehen, auf halbem Wege den Ersatzkanister aus dem feucht-filzigen Chaos des Gepäckraums fischen zu müssen und sich, weil man den Einfüllrüssel verbummelt hat, einen halben Liter Bleifrei über die makellose Garderobe zu schütten. Ohne Zweifel: Etliche Wege entfallen.
Der sparsame Golfer tankt, und die Anzeige der Benzinuhr stoppt bei DM 10,02. Gewissensfrage: Ausnahmsweise auf 15 DM aufstocken oder hoffen, daß der Esso-Pächter einem zwei Pfennige schenkt, weil es ihm zu lästig ist, uns DM 489,98 rauszugeben? Der besonders ökonomische Golfer hat errechnet, daß er bei nur 288 Tankvorgängen zu jeweils DM 10,02 immerhin 2,19 Mark sparen kann, wenn 38% der Tankwarte ihm die 2 Pfennig gnädig erlassen. Super! Weitere 12 Mark pro Jahr spart er ein, weil er immer die Tankstelle ansteuert, die die Kartell-Preise um 0,9 Pfennig unterbietet[3].
Die anfangs ganz besonders schlauen Spar-Golfer durchlaufen einen lang-

---

3 Wir gehen hier von 15.000 km jährlicher Fahrleistung aus und nehmen an, daß der Golfer keine Umwege zu seiner Billig-Tanke fahren muß.

samen Reifungsprozeß zum Volltanker, weil ihnen erst nach vielem Grübeln eine »vernünftige« Begründung fürs Volltanken einfällt: »Häufiges Öffnen des Tankes erhöht die Verdunstungsverluste.«

10 WICHTIGE FLÜCHE

»Verschimmelter Anfänger!«
»Was soll das sein? Ein Menschenversuch zum Thema Winterschlaf?«
»Für einen Blinden fahren Sie erstaunlich gut!«
»Verkleide dich als Hamster und laß dich einschläfern, du Pappnase!«
»Wieviele Sekunden pro Monat blickst du eigentlich durch?«
»Wann läßt du dir endlich ein Gehirn einbauen?«
»Fahr zur Schrottpresse und bleib im Wagen sitzen!«
»Dich hat der Kammerjäger wohl übersehen!«
»Wußte gar nicht, daß die Ärzte Autofahren inzwischen zur Rehabilitation von Geisteskranken verordnen!«[4]
Wenn der langsame Feind nicht deutlich genug jenseits der 100 km/h fährt: »Willst du hier parken?«

GESTEN

Der moderne Golfer zeigt keinen Vogel. Auch der Mittelfinger wird geschont. Er fährt am Gegner vorbei, rollt irre mit den Augen, spitzt die Lippen zu einem dicken Kuß oder schneidet sonstige Grimassen, die, im Gegensatz zu den klassischen Gesten des Hasses (»Autofahrergruß«), nicht von Strafe bedroht sind.

EXTREMISTEN IM GOLF

Eine leider verschwindend kleine Minderheit benutzt beim Golf-Fahren King-Kong- oder Helmut-Kohl-Gummimasken oder zieht sich einen Strumpf übers Gesicht. Das langweilige Verkehrsaufkommen wird durch derartige Eingriffe vorbildlich aufgelockert. Auch für den rasenden Extre-

4 Anm.: »Rehabilitation« mehrmals vorher üben, ist schwierig auszusprechen. Der Fluch wird nur von Akademikern verstanden, also vor allem für R4 und Ente geeignet.

misten gibt es handfeste Vorteile – er ist auf den Schnappschüssen der Radarfallen nicht zu identifizieren. Beifahrer beschleicht allerdings ein etwas mulmiges Gefühl, wenn sich ihr Chauffeur bei Fahrtantritt einen Sturzhelm über den bruchempfindlichen Schädel stülpt. Da hilft es nichts, daß der Helm mit zwei lustigen Plastikhörnern im Wikinger-Stil dekoriert ist.

GOLF-MUSIK

Der Golfer ist hinsichtlich seiner Musikauswahl nicht sonderlich wählerisch, achtet aber darauf, daß seine Car-Stereo-Anlage imstande ist, in dem Zeitraum zwischen zwei Reparaturen sämtliche Geräusche zu übertönen, die einem Autofahrer Gänsehaut verursachen. Aus demselben Grunde verbessert Musik im Auto die Chancen eines Wiederverkaufs des Golfs.

Stolz

WIE SIEHT DER GOLFER DIE ANDEREN AUTOFAHRER?

Mercedes:
Das prächtige Blechkleid des Herrenmenschen flößt ihm keinen Respekt ein. Eingebaute Vorfahrt, vornehmes Abbiegen ohne Blinken und die kultische Wegnahme des Typenschilds auf dem Kofferraumdeckel sieht er als Merkmale einer prestige-gierigen »Elite«, die langsam, aber sicher ausstirbt. Gern bildet sich der Golf-Fahrer ein, er würde selbst dann keinen Mercedes fahren wollen, wenn er das Geld besäße. Als Hintertür für den Fall seines eigenen Aufstiegs in die Exclusiv-Classe stellt er (nachträglich) auf Anfrage gnädig fest, daß es seit einiger Zeit auch ein paar aufgeklärte Mercedes-Fahrer gibt, die sich im Verkehr vernünftig benehmen.

BMW:
Sind quietschende Reifen zeitgemäß? Nein, der aggressive und auf sportlich gequälte BMW-Fahrer entlockt dem Golfer nur ein müdes Lächeln. Im besten Falle will der ergraute Familienvater mit Gewichtsproblemen seine Midlife-Crisis mit dem erkauften Gefühl behandeln, daß er könnte, wenn er

nur wollte – weil er unheimlich was unter der Haube hat. Der Golfer findet, man sollte in Ehren alt werden.

Opel:
Bei aller Liebe zu Normalität und Durchschnittlichkeit – Opel, das geht zu weit. Es bleibt dem Golfer ein ewiges Rätsel, wieso man einen Kadett kaufen kann, wo es doch Golf gibt. Ein größerer Opel, findet der Golfer, macht aus jedem durchschnittlichen Menschen einen Frührentner.

Ford:
Noch vor ein paar Jahren konnten keine Zweifel an der Geschmacklosigkeit der Ford-Opfer aufkommen, der Golfer konnte einen Ford-Fahrer einfach nicht ernst nehmen, sondern nur bedauern. Inzwischen – Sierra – scheint Ford nicht mehr ganz so spießig sein zu wollen, aber . . .

Franzosen:
Warum nicht? Manchen Leuten kommt es ja nicht so drauf an, daß ihr Auto regelmäßig fährt.

Italiener:
Zählen nicht wirklich zu den Autos, laufen also außer Konkurrenz.

Japaner:
Trotz aller Gerüchte und Statistiken hinsichtlich der Verarbeitungsqualität vertraut der Golfer seiner soliden deutschen Wertarbeit mehr, als den zuverlässig zusammengeklebten Imitationen aus Fernost, die zum gleichen Preis immer eine Klasse höher mitkämpfen wollen. Die Japsen sehen grundsätzlich billig aus, fühlen sich billig an und riechen billig. Auch wenn's nur ein Vorurteil sein mag, jedenfalls. . .

SO WIRD DER GOLFER GESEHEN

Der Golf wird von allen ignoriert, weil es nichts Typisches an ihm gibt. Er ist überall derart präsent, daß man ihn bereits nicht mehr wahrnimmt, wie ein Geräusch, das den ganzen Tag über erklingt und schon am frühen Nachmittag nicht mehr gehört wird. Für den Golf-Fahrer hat dies den Vorteil, daß er sich nie als glänzende Ausnahme und gutes Beispiel von den anderen abgrenzen muß, die ebenfalls mit »seinem« Typ unterwegs sind und sich typ-typisch unmöglich verhalten. Niemand zwingt ihn je zu den Rechtfertigungs- und Entschuldigungs-Kunststückchen für seinen Wagen, auf die BMW- oder Mercedes-Besitzer einen großen Teil ihrer Freizeit verschwenden müssen.

Eimer und Schüssel

DEPONIE UND ZWISCHENLAGER

Jedes Jahr führt der Schicksalsweg den durchschnittlichen Menschen an etwa 324 kg diverser Gegenstände vorbei, die man irgendwann mal brauchen kann. Die wichtigsten 34 kg davon will man ständig bei sich wissen. Wohin damit? Natürlich in den Kofferraum, sagen sich auch Mitbürger, die als penibel gelten und nach Begutachtung ihrer Wohnung in den Verdacht geraten, unter neurotischem Ordnungsbedürfnis und zwanghafter Reinlichkeit zu leiden.
Selbstverständlich ist das – auch wenn es täuschend so aussieht – kein Müll, was im Golf-Kofferraum in vielen Schichten zu einem mächtigen Sediment aufgetürmt wird. Eines Tages, wenn man den Golf weiterverkaufen will, wird man eine gründliche Grabung in diesem Trümmerfeld vornehmen und archäologisch hochinteressante Funde machen. Was da alles zum Vorschein kommt! Erinnerungen, vor allem solche an die guten Vorsätze, die mit dem aufbewahrten Stück verbunden waren, und auch Rätsel (»Was wollte ich damit? Wie kommt das hier rein?«) sind die schöne Seite dieser Tätigkeit. Mangel an gut klimatisierter Lager- oder Ausstellungsfläche für die aufgespürten Kleinodien stellen die Schattenseite dar. Oder soll man den gesamten Kofferrauminhalt in den Kofferraum des nächsten Wagens umschichten?
Nicht nur als Archiv wird der Kofferraum eingesetzt, auch als Zwischenlager dient er dem Golf-Fahrer. Alles, was nicht mit dem Hausmüll beseitigt werden kann, wird im Kofferraum deponiert, um irgendwann im Schutze der Dunkelheit in einem zufällig an der Straße stehenden Container für Bauschutt zu verschwinden. Doch wie auch im Falle des Plutonium-Mülls wird der Abfall ohne Ende hin und her gefahren, wohl in der Hoffnung, daß er lange vor seiner Halbwertzeit aus Nettigkeit in irgendetwas Unbedenkliches zerfällt.

DAS GEHEIMNIS DES ASCHENBECHERS

Wer einen Pflasterstein in die Hand nimmt, kann sich nur schlecht vorstellen, daß dieser aus einer Vielzahl verketteter Atome besteht, zwischen denen und zwischen deren subatomaren Bauteilen sich zu weit über 99,999 % nichts befindet – einfach nichts!
»Soviel ungenutzter Raum!«, sagt sich der Golf-Fahrer, und überlistet durch seine pure Willenskraft die Gesetze der schnöden Physik: Er quetscht noch eine Kippe in den Aschenbecher, den Albert Einstein schon vorgestern als knallvoll definiert hätte.
Solange der Golf-Ascher nur mit Kippen befüllt wird, gibt er in der Tat ein prachtvolles Symbol für die Unendlichkeit ab. Doch wohin mit den geschmacklos gekauten Kaugummis? Während der Fahrt tastet der akrobatische Golffahrer mit der rechten Hand unter dem Beifahrersitz nach Abfall, in den er den Kaugummi so einwickeln kann, daß das Gebinde einerseits noch in die Müllschublade paßt, andererseits beim mehrfachen Kontakt mit noch glühenden Kippen nicht zu jenem bekannten kokelnden und Fäden ziehenden Ärgernis zerschmilzt, das sich nicht durch den Rüssel des Münzstaubsaugers entsorgen läßt.
Die Erfahrung lehrt, daß sich Sperrmüll selbst unter Aufbietung sämtlicher Erkenntnisse der Falt-, Knüll- und Knickforschung nicht vernünftig im Golf-Aschenbecher unterbringen läßt. Ganzheitliches Denken und ein »Erweiterter Aschenbecherbegriff« sind gefordert. Anfänger definieren Fußraum und Rückbank als Aschenbecherfortsatz. Fortgeschrittene bemühen den »Ganz Großen Aschenbecher«. Dabei kann es zu Nebenwirkungen wie Glutrückflug in den Innenraum bei geöffnetem Fenster kommen, da bei der Konstruktion des Golf im Windkanal die Bedürfnisse dieser Golfer leider noch nicht ausreichend berücksichtigt wurden. Erst nach langer Übung lassen sich Brandflecke weitgehend vermeiden.

BIER-GOLF – PILZ-GOLF – EHEBRUCH-GOLF

Mit zunehmendem Alter wird jeder Golf individueller – er bekommt seinen interessanten und vielsagenden Stallgeruch. Die Verschwörung von ein paar Molekülen macht den Unterschied. Am Anfang genießen wir den Neuwagengeruch, eine fein komponierte Mischung aus Kleberdämpfen und Leder. Haben Sie sich auch schon mal gefragt, wieso ein Neuwagen ein bißchen ledrig duftet, obwohl doch ausschließlich Plastik verwendet wurde? Das ist

das Lenkradparfüm! Ehrenwort – kein Spruch, kein Witz: Lenkradparfüm gibt es wirklich! Es wird werkseitig aufgelegt, um den Wagen innen nicht zu künstlich stinken zu lassen. Leider ließ sich nicht herausfinden, wieviele Arbeitsplätze bei VW mit neuen Duftkompositionen für Neuwagen befaßt sind und ob jede Saison ihren Duft hat.
Doch kommen wir zu den ganz persönlichen Gerüchen. Platz eins: »Kippe«, das Aroma der Teer- und Nikotin-Fans, die sich von den Resten ihrer Leidenschaft nur schlecht trennen können. Eng verwandt damit: »Kneipe«, wenn die private Sammlung fast leerer Bierdosen für den Fall im Wagen aufbewahrt wird, daß man improvisierte Aschenbecher braucht. Ebenfalls herb-männlich: »Sport«, eine aufwendige Komposition aus Adidas-Tennisschuhen (seit 5 Jahren im täglichen Einsatz), Abgas (Auspuff hat Löcher), Benzin (Fahrer hat höchstselbst am Vergaser gebastelt) und Altöl (von Bastlerhänden gleichmäßig auf Lenkrad und Polster verteilt). Auch »Werkstatt« finden wir häufig: das Aroma von frisch geschweißtem Blech und dabei irrtümlich verschmorten Kabeln, kokelnden Fußmatten und brennendem Motoröl. Der gesundheitsbewußte Golfer entscheidet sich für »Tibet«, den Duft der vor einer Woche umgestoßenen Milchtüte, deren Buttersäuredünste besonders dem Liebhaber von tibetanischem Buttertee, Harzer und Schweißfuß liegen. Ebenfalls ausgesprochen organisch: »Champignon«, der feine Pilzrasen unter feuchten Fußmatten.
Alle diese Gerüche dürfen bleiben. Doch wenn sich das penetrante Parfüm des Seitensprungs in den Sicherheitsgurt des Beifahrersitzes eingeschlichen hat, muß eine Radikalkur her. Das alternativ wirkende Räucherstäbchen zum Beispiel. Oder der durchdringend frisch riechende »Wunderbaum« – wenn man nicht sofort Hautausschlag davon bekommt. Der biedere Golfer mit dem Sagrotan-Syndrom entscheidet sich für das altbewährte Auto-Deodorant »Cockpitspray«, das einen Abglanz des ursprünglichen Neuwagengeruchs in die muffelnde Höhle quält.

GEPÄCK-PSYCHOLOGIE

Kofferraum und Handschuhfach sind zwei der Nischen, in denen selbst eine beherrschte Person erstaunliche Indizien für ihr geheimes Seelenleben anhäuft. Ein besonders interessantes Licht auf Charakter und Vergangenheit werfen die Gepäckstücke, die noch weniger bewußt im Golf transportiert werden als der Inhalt von Kofferraum und Handschuhfach. Wer unter den Sitzen und in den Ritzen nachschaut, wird sich wundern. Krümel und

korrodiertes Geld, benutzte Papiertaschentücher aus mehreren Jahrzehnten, diverse Supermarktquittungen, Strafmandate und unzählige Postwurfsendungen, die eigentlich den Briefkasten verstopfen sollten. Zudem alle nur denkbaren Probierpackungen und alles, was heutzutage den Illustrierten beigelegt wird, einschließlich tönender Feuchtigkeitscreme für die Haut um 40.
Neben diesen wichtigen und im Prinzip noch brauchbaren Gegenständen treffen wir kaum versteckt im Fahrzeugraum nicht selten auf echten Müll: Flaschen, Verpackungsmaterial, in dem sich einst handelsübliche Lebensmittel oder leckere Gerichte vom Imbißstand erfolglos vor unserem Heißhunger zu verstecken versucht hatten.
Natürlich kann man gelegentlich Golfer sehen, die Tennisschläger auf der Hutablage transportieren oder es sich nicht nehmen lassen, drei beeindruckende HiFlys mit dem Surfadapter auf den Wagen zu drapieren – und dort sogar während des Winters zu belassen. Auch die keilförmigen Särge fürs Dach leistet sich manch ein Golf-Fahrer, der seinen Mitmenschen einreden will, daß ihm sein natürlicher Stauraum nicht reiche. Er erntet mitleidige Blicke, sieht das alles doch etwas gewollt aus, zumal sein Golf von der Last ein wenig niedergedrückt erscheint.

ENTLEERUNG DES GOLFS

Die Golf-Reklame behauptet immer wieder, daß der Golf mehr Platz hat als man zu glauben geneigt ist. Bei der radikalen Entmüllung seines Wagens stellt der Golf-Fahrer fest, daß Wolfsburg noch untertrieben hat.
Wenn der Golfer erstmal angefangen hat, läßt er sich nicht mehr bremsen. Unbarmherzig wird die Beladung ausgedünnt, und dann kommt das Wienern. Mit diversen Spezial-Mitteln für die verschiedenen Oberflächen des guten Stücks wird der Golf so proper aufpoliert wie Aladins Wunderlampe. Vielleicht wird aus dem alten Golf nun durch gekonntes Wünschen ein neuer Passat.

DIE ENTGOLFUNG DES GOLFS

Jedem Golfer geht seine Austauschbarkeit mehr oder weniger auf den Zeiger. Selbst die Besitzer eines angeblich exklusiven Golf »Bistro«, eines Golf »Memphis« oder Golf »Carat« stellen schon bald fest, daß sich ihr Golf von durchschnittlichen Golfs mit ein paar Extras vor allem durch einen kleinen Schriftzug unterscheidet. Der nackte Golf fällt zu schlicht aus, um Persönlichkeit zu besitzen. Er braucht Dekoration.

AUFKLEBER

Welche Bekenntnis-Tätowierung pappt sich der Golfer drauf? Ganz besonders hat es ihm »BOSS« angetan – über die gesamte Breite des Rückfensters. Ein GTI ohne BOSS-Aufkleber wirkt unvollständig und befremdlich nackt. Die Mode der Holy-Brüder gefällt dem Golf-Fahrer, Marktführer BOSS ist gut verarbeitet und ziemlich schick, fällt aber nicht wirklich auf und besitzt auch nicht den Elite-Glamour der Namen Versace, Armani oder Kenzo. BOSS ist Anerkennung. Sein angeblich unverkrampftes Verhältnis zum wirklichen Statussymbol beweist uns der Golfer gern so: »Was lacostet die Welt? Geld spielt keine Rolex«. Dazu darf der formschöne Playboy-Hase in allen seinen 744 Variationen nicht fehlen.
»Vogelpark Walsrode« war einfach nur schön. Durch die weiße Taube, die vor blauem Grund flattert, sagt uns der Golfer: »Möge alles gut werden« und wünscht sich und dem Rest ein bißchen Frieden. Mit »I like N.Y.« beweist er uns, daß man sich schon vom Hörensagen in eine lärmende und schmutzige ausländische Großstadt verlieben kann, wenn man nicht gerade anderweitig beschäftigt ist: »Nicht hupen, Fahrer träumt vom 1. FC Köln«. Bei wem sich nun Zweifel regen, ob beim Golfer noch »Alles frisch!« ist, dem hält er einen fein geformten Sinnspruch hin: »Beton – es kommt drauf an, was man draus macht« und streicht »Ein Herz für Kinder« heraus. Oder schlägt das gutgemeinte Atomkraft-Angebot ab: »Nein danke!«
Man möchte es nicht für möglich halten, wieviel Klebriges einem da auf Messen, in Läden und Zeitschriften als Autoschmuck aufgedrängt wird. Reklame, Bekenntnis, Dekoration: Mit »Pack den Tiger in den Tank!« ging es 1967 los. Derzeit werden pro Jahr ca. 600 Millionen Aufkleber in den Ver-

BOSS
QUAK
OTO

kehr gebracht, einige muß man sich sogar kaufen. Und sie werden benutzt: 50 % aller Autos sind beklebt. Komisch, denn 78 % aller Autofahrer lehnen Aufkleber für ihren Wagen kategorisch ab.
In der Kombination liegt die Einmaligkeit. Drei Aufkleber dokumentieren die Vorliebe für drei Urlaubsorte, das Piktogramm daneben symbolisiert den geliebten Tanzsport, dann ein Abziehbild von zwei schlauen Schäferhunden, wie es sich kaum ein Dackel-Besitzer an den Golf kleben würde. Werbe-Sticker diverser Firmen zeigen, welche Produkte dem individuellen Golf-Fahrer besonders am Herzen liegen, seien es nun die amtlichen High-End Lautsprecherboxen von »Infinity« oder die Klebekartuschen von »Epox Compact 203 – die Lösung all Ihrer Fugenprobleme«.
Ach ja, und Humor hat der Golfer auch noch. All die witzigen roten Hände von Rothändle. Nicht zu vergessen die kopulierenden Rabbits: Der Rammler besorgt es seinem Kaninchen-Spatzl von hinten per Treibstoff-Einspritzung (»Fuel Injection«). Ja, ja, »Tauberbischofsheim grüßt den Rest der Welt«.
Ein solches Werk verdient eine individuelle Signatur: die Initialien des Besitzers oder ersatzweise den ebenfalls schreibschriftlich geschwungenen Schriftzug von »John Player Special«.
Wenn der Golf-Fahrer davon ausgeht, daß er seinen Wagen nie verkaufen, sondern irgendwann selbst verschrotten wird, gehen Beklebung und Bemalung besonders leicht von der Hand. Der Betroffenheits-Golfer läßt bunte Kinderschmierereien auf seinem Blech zu, der rotzige Besitzer des durchrosteten Golfs greift zur Spraydose, sprüht »Was soll's?« oder ein großes »A« im Kreis auf die Karosse und bezeichnet dies als Graffiti-Kunst. Wer eher zu biederer Schamhaftigkeit neigt, entscheidet sich für »Alt, aber bezahlt«, die Stimmungskanonen kleben »Mein Rolls ist gerade in der Werkstatt« oder »Bis daß der TÜV uns scheidet« hinten drauf.

Die schönsten Sticker:

»Lieber Fremdenverkehr als gar keinen.«
»Testwagen – nicht waschen!«
»Wissen ist Macht. Ich weiß nichts – macht nichts.«
»Es gibt viel zu tun – warten wir's ab.«

Die blödesten Sticker:

»Ich rauche gern!«
»Ich lebe gern!«
»Ich liebe gern!«
»Ich flirte gern!«

REIZWÄSCHE

Ein Fachbuch zum Thema Golf-Tuning verrät, worum es geht: die Golfs aus dem »serienmäßig nackten Urzustand zu appetitlichen Spielzeugen verwandeln«. Die Aufdonnerung zum leckeren Spiel-Golf übernimmt z.B. die Firma Oettinger. Verführerisch schwarze Rückleuchten »machen aus jedem Golf etwas Besonderes«, spätestens, wenn auch noch der Oettinger-Schaltknopf – «griffsympathisch« – und der Auspuff des Hauses hinzukommen: »sportlicher Klang und bestechende Optik« zusammen »entheben den Golf der Uniformierung«.
Kamei bietet einen ganzen Baukasten mit imponierenden Plaste-Teilen an und verspricht »Mehr-Wert, der auffällt«, sowie »Kraft, die man sieht«. Und wirklich: Rundherum wird dem mickrigen Golf die bullige Muskulatur des Bodybuilders angenietet. Heckspoiler, Kotflügelverbreitungen, seitliche Wülste, die geile Frontschürze und ein Monstrum von Front-Grill mit tiefliegendem Doppelscheinwerfer geben dem harmlosen Niemand die gefährliche Aggressivität des Turbo-Hechtes im Karpfenteich. Er fürchtet sich vor nichts. Nur vor Bordsteinkanten vielleicht, an denen solch potenzsteigernder Kriegsschmuck regelmäßig zerbricht. Der Kraft-Golfer auf seinen extrabreiten Walzenreifen fühlt sich einsam, stark und gewaltig, auch wenn unter der lüftungs-geschlitzten »Spezial-Motorhaube im Sport-Quattro-Look« (von Mahag) kein überdimensioniertes Supertriebwerk mit Kühlungsproblemen lauert, sondern nur schlappe 70 PS.
Endlich bekommt der Golf die vermißte »Rasse, Klasse, Perfektion« – endlich entsteht die »Golf-Faszination« (Mahag Reklame), für die eine Vielfalt von selbstklebenden Dekor-Folien Mitverantwortung trägt. Da kann man sich den Namen seiner Ausrüstungsfirma dekorativ aufpappen: z.B. »Zender Z 20« und »MAHAG Tuning«. Oder wie wär's mit einer Abbildung eines Golf-Schlägers über die gesamte Seitenlänge des Autos, dazu das rein grafische »Multicolor-Dekor-Set«, sowie aufklebbare Plastikleisten für die Kotflügeloberkanten (»Windsplit-Set«) und nach Lust und Laune Rallye-Streifen (»Dekorlines«) von der 12-Meter-Rolle (alles Kamei)? Nun fehlt nur noch die »Midnight Styling Folie«, mit der wir Heck- und Seitenscheiben »tiefschwarz transparent« abdunkeln: »Schwärzer ist keine. Und black is beautiful!« DM 134,– verlangt die Firma »Folia Tec« dafür. Nochmal 109 Mark werden fällig, wenn wir »nobles Mattschwarz überall dort [haben wollen], wo Chrom out ist«, also alle Chrom-Zierleisten des Golf mit der mattschwarzen Abdeckfolie »Strip Line« überkleben wollen.
Da fährt er nun im Licht der Feierabendsonne, der röhrende Platzhirsch mit

dem Aussehen eines amokfahrenden Schneepfluges – Bahn frei für den individuell entgolften Golf!
Doch es geht noch individueller als gepolsterte Überrollbügel (DM 500,– – 900,–), unbequeme Hosenträger-Sicherheitsgurte (ca. DM 80,–), verchromtes Endrohr und tiefergelegte Karosse: wenn das Auto nämlich zum Kunst-Objekt wird. Nein, wir reden nicht von den Einhorn-Reiterinnen im nuttigen Outfit, die vor einem ebenso galaktischen wie kitschigen Doppelsonnenuntergang mit Schwertern und Schwarzeneggern hantieren – das ist dekoratives Kunstgewerbe, immer irgendwie mißlungen. Wie unendlich viel mehr besticht dagegen der Golf als neo-konzeptualistische Skulptur! Nur scheinbar beliebig über das Objekt verstreute graue Spachtelstellen hinterfragen das Spannungsfeld zwischen einer zum Zeichen verkürzten, vertrauten Sprache reiner Zweckhaftigkeit auf der einen, einer andersfarbigen Beifahrertür auf der anderen Seite. Unübertroffen konkret verweisen blasige Lackoberflächen auf die ungewollte, aber nicht spontane, sondern schleichende Entmystifizierung der seriell vorgegebenen Gesamtgestalt als Ideal, deren radikalste Relativierung durch Blechaufwerfungen an der Außenhaut der Installation als bleibendes Indiz unerwarteter Verformung erfahrbar wird. Nur zu oft bleibt der Betrachter vor einer solchen Assemblage allein mit seinem Unverständnis, bemerkt nicht einmal seine Betroffenheit und wertet das zugegeben schwer zugängliche Werk eines zudem unbekannten oder gar anonymen Urhebers als Schrott. Deshalb erzielen solche Golfs zur Zeit nur Sammlerpreise unter DM 30 pro Tonne.

Der Gemüts-Golf

DER GOLF HAT SEELE

Auch wenn die Persönlichkeit eines Golfs nach außen nicht so leicht sichtbar wird, so weiß der Golf-Fahrer doch ganz genau, daß sein Wagen sogar eine Seele besitzt. Jeder Golf hat ganz individuelle Launen, der eine ist arbeitsscheu und weigert sich zu starten, der andere gibt sich wetterfühlig.
Ein Golf fühlt und versteht mit zunehmendem Alter immer mehr von dem, was man zu ihm sagt. Mancher Golf ist intelligenter als mancher Hund. Und er hat einen freien Willen. Jedenfalls kann sich der Golf-Fahrer an etli-

che Gelegenheiten erinnern, wo sein Flehen oder Drohen von seinem Auto ganz genau kapiert wurde. Jeder Golf-Fahrer verwendet eine Reihe geheimer Beschwörungsformeln und ritueller Handlungen, einschließlich Öffnen und Schließen der Motorhaube, Trommeln auf das Armaturenbrett und Tritte gegen den Kotflügel, um die Selbstheilungskräfte und den guten Willen seines Wagens zu aktivieren. Manch ein Herrchen oder Frauchen verspricht dem Golf die fällige Reparatur, beim Grab seiner noch lebenden

Großmutter, vorausgesetzt der Golf halte trotz der gefährlichen Geräusche noch den Rest der Strecke durch. Gutmütig wie sein Naturell nun mal ist, läßt sich der Golf immer wieder breitschlagen, wenn auch mit schluchzender Kupplung oder heulenden Radlagern. Aber er ist nachtragend. Ja, manchmal versagt er sämtliche Dienste, einfach mittendrin, nur so und auf jeden Fall aus Rache. Der Golfer nimmt es hin, schließlich hat sein Wagen ja recht.

SPITZNAMEN

Wo der Golf als Ersatz für Puppe, Kind oder Hamster herhalten muß, bekommt er regelmäßig einen Spitznamen verpaßt, der sich gern aus der Buchstabenkombination des Nummernschildes ableitet. Doch diese Spitznamen sind so albern, daß wir aus Gründen des Geschmacks kein Wort über sie verlieren wollen.

NIPPES

Im Urzustand verströmt der Golf weniger Gemütlichkeit als ein steriles Hotelzimmer. Ein Glück, daß es die Garfield-Forschung gibt. Der auf die Hutablage drapierte oder mit Saugnäpfen an der Seitenscheibe befestigte Kitsch-Kater verpaßt dem Golf sofort jenen heimeligen Kinderzimmer-Appeal, mit dem nichtmal eine Horde von über das Cockpit geklebten, massiven Schlümpfen, Mainzelmännchen oder Mitgliedern der Duck-Familie konkurrieren können.
Auch mit dekorativen Handarbeiten kann der Golfer eine geschmackssichere Gemütlichkeit erzeugen, die etwas ungemein Individuelles ausstrahlt. Mutti besorgt ein Kissen mit Oldtimer-Motiv darauf und stickt das ganz und gar einmalige (!) Kennzeichen unseres Golfes auf. An langweiligen Fernsehabenden häkelt sie ein ebenso schönes wie praktisches Accessoire, das in keinem Golf fehlen sollte: eine Zierhülle mit Bommel für die Klopapierrolle. Auch dieses Stück gehört gut sichtbar auf die Hutablage. Fragt sich, warum? Leiden diese Golfer unter Durchfallserkrankungen, die den Weg zur nächsten ordentlichen sanitären Anlage mitunter zu weit erscheinen lassen? Bewegen sie sich bevorzugt in toilettenfreien Zonen? Vertragen sie das Klopapier in öffentlich zugänglichen Aborten nicht? Wollen sie Naturverbundenheit vorzeigen, indem sie symbolisch bekennen, keine Gelegenheit zur Entleerung im Freien auszulassen?
Die Erklärung für die allseits beliebten Schonbezüge fällt da schon leichter. Hier soll das wertvolle Serienmobiliar vor dem Verwohnen geschützt werden. Schließlich hatte man lange hin und her überlegt und sich endlich für den optimalen Bezugsstoff entschieden, der logischerweise zu schön ist, um sich direkt auf ihn zu setzen. Eigentlich sind die Schonbezüge aus kuscheligem Fellimitat auch zu gut, um sie zu benutzen. Aber solange es keine Schonbezüge für Schonbezüge gibt, bleibt einem wohl nichts anderes übrig...

Nun fehlt zur definitiven Wohnzimmeratmosphäre nur noch ein Fotohalter mit verwackelten Farbbildern der Lieben, ein paar Magnete oder Klammern zur Nachahmung der wichtigsten Pinnwand-Funktionen, die St.-Christopherus-Plakette und ein Groschenspender. Kompaß kann auch nicht schaden – falls man mal mitten in der Serengeti die Orientierung verliert. Ein Kassettenhalter für die Ordnung in der Unterhaltung muß auch sein. Gegen die Blicke der neugierigen Nachbarn wird unser trautes Heim durch ein paar Rollos abgeschirmt, auf denen ein tropischer Sonnenuntergang abgebildet sein sollte, den die hochgesetzten, zusätzlichen Bremsleuchten immer wieder so stimmungsvoll illuminieren. Bleibt noch die Gewissensfrage: Welche überaus praktische Gerätschaft wird in den Schacht des Zigarettenanzünders gesteckt? Nun bekommt das Lenkrad noch ein hübsches Fell übergezogen, und endlich fühlen wir uns zuhaus. Wenn der große Farbfernseher nicht im Wohnzimmer stünde, würde Parken zum wichtigsten Hobby der Golf-Fahrer.

WAS MÜSSTE VERBESSERT WERDEN?

Nichts. Obwohl ein eingebautes Klo natürlich Vorteile hätte. Auch würde sich manche darüber freuen, ohne schmerzlichen Aufpreis einen orthopädischen Schuh für seinen Bleifuß bekommen zu können.

Extras

Zu den exotischsten Golf-Extras zählt die Benzinpumpe. Natürlich gehört dieses stinknormale Teil zur Grundausstattung. Aber genau das ist das Problem. Wenn die Benzinpumpe ausfällt und wir irgendwo in der Nähe von Augsburg raschen Ersatz suchen, bedauern der örtliche V.A.G.-Partner und alle seine Kollegen südlich des Weißwurst-Äquators, weil gerade sämtliche verfügbaren Exemplare dieses profanen Aggregats von Wolfburg für die Produktion neuer Golfs gebraucht werden. Peinlich, peinlicher, am peinlichsten! Weil sogar die Japaner trotz ihrer endlosen Typenvielfalt eine bessere Lagerhaltung betreiben, hat VW die »Mobilitätsgarantie« erfunden, um so den Ruf der Beamtenmäßigkeit vor weiterem Absinken zu schützen:

Geht was kaputt und kann's der V.A.G.-Partner nicht sofort richten, gibt's Leihwagen und Absteige auf Kosten der Firma.
Wenn's aber ans Überflüssige geht, bietet der »V.A.G. Zubehör Service: Für Kenner und Können« so allerlei, schließlich will der Golfer »›in‹ sein, fit sein, unkonventionell sein – im Lifestyle, der auf sportive Optik setzt. Optik von artistischer Eleganz, wie die eines Roller-Skaters!« So sieht es jedenfalls der Katalog mit dem »Golf Original Zubehör. Von Volkswagen für Ihren Volkswagen.« Die artistisch elegante Optik ruft nach der »vollelektronischen Dachantenne (Typ 16 V)«. Dieser windschiefe Empfangsstummel für »volle Welle und Watt satt« wird rasch aufs hintere Ende des Daches geschraubt, und schon sieht der Billig-Golf – zufällig – so aus wie das doppelt so teure und hochpotente GTI-Modell mit dem 16-Ventil-Motor. Natürlich dient dieses angeblich rollschuhläufermäßige Extra nicht der Protzerei, sondern dem gediegenen Radioempfang von »Info, Music, Sound«. Wenn dann noch »Lenkrad und Knüppel echt Holz« sind, also »edel-hölzern und gut«, dann fehlen uns höchstens noch die »selbstklebenden Rammschutzleisten« zum vollkommenen Glück. Das verdanken wir allein dem baseballmäßigen »V.A.G. Zubehör Service: Treffsichere Leistungen. Ein großer Wurf, ein toller Fang – immer im richtigen Schlagabtausch. Im Baseball wie beim Autozubehör.« Und bestimmt auch bei der Optik.
Ebenfalls gern unter dem Weihnachtsbaum findet der Golf-Fahrer einen echten Ersatzreifen. Der Serien-Golf wird nämlich nur mit einem unbrauchbaren Notrad ausgeliefert.
Und sonst noch? Die »Styling Garage« in Hamburg ersetzt die Plastikoberflächen im Innenraum durch Walnußholz (für nur 4500,– DM) und schlägt den Golf mit Conolly-Leder aus (nur 5000,– DM). Ein noch schöneres Extra, der gefüllte Ersatzkanister, ist schon ab 14,95 Mark zu haben (keine bestimmte Marke, an jeder Tankstelle erhältlich).
Die Problematik der »Anlage« wollen wir nicht im Detail erörtern. Jeder Mensch weiß, daß es nur einen Ersatz für zu wenig Watt gibt: noch mehr Watt. Zu laut kann es nicht sein, zu groß und auffällig auch nicht. Aber warum sehen wir so wenige verchromte Hufeisen vor dem Kühlergrill? Noch schmerzlicher: Der klassische Antennenschmuck existiert praktisch nicht mehr! Oder wann haben Sie das letzte Mal einen Fuchsschwanz im Fahrtwind flattern sehen?[1]

---

1 Derartig liebenswürdige Verbundenheit mit den verfolgten Tierarten unserer Heimat zeigen leider nur Opel-Fahrer aus der Provinz, die sich auch um die Erhaltung der letzten Reste der CB-Funk-Kultur verdient machen, ohne dafür staatlich subventioniert zu werden.

DACHGEPÄCK

50 % der unvorbereiteten Beobachter werden den praktischen Kühlschrank im Golf nicht bemerken, den exklusiven Schampus im Innern erst recht nicht. Aber Dachgepäck fällt jedem Idioten auf. Wir sollten daher größte Sorgfalt auf die Auswahl der Surfbretter verwenden, die wir ein für alle Mal auf das Dach montieren. Bombenfest und klausicher verankert dienen diese farbenfrohen Accessoires nicht etwa als angeberischer Sommer- und Winterschmuck, sondern schützen unseren Golf vor gefährlichen Meteoriteneinschlägen. Wir bekommen keinen Dachschaden!
Sofern wir noch Platz auf dem Golf haben, sollten wir auch einen keilförmigen Dachsarg in Schwarz installieren. Diese mysteriöse Plastik-Kiste gemahnt die anderen Verkehrsteilnehmer unterbewußt an die Vergänglichkeit allen Fleisches und verleiht uns sofort eine seriöse Note. Man läßt uns uns gnädig einfädeln, man gönnt uns die Vorfahrt, selbst wenn wir mal keine verschnürte Leiche herumtransportieren, sondern nur den üblichen Müll, für den der Kofferraum längst zu klein geworden ist.

LEIDER UNMÖGLICHE EXTRAS

Vorsicht, hier werden leichtfertig schwere Denkfehler gemacht! Ein Golf kann wesentlich mehr Extras aufnehmen als ein Nobelschlitten. Zum Beispiel Autotelefon. »Der hat's gerade nötig!« So oder so ähnlich werden hochwichtige Geschäftsleute angepöbelt, nur weil sie im Stau aus dem Mercedes telefonisch Arbeitsplätze sichern. Aber ein Golf-Fahrer mit dem Hörer in der Hand macht sich nie unbeliebt oder lächerlich. »Obwohl er's geschafft hat, ist er einer von uns geblieben.« Der Golfer mit Telefon ist der sympathische Karriere-Typ. So 'ne Art Bruce Springsteen.
Wenn ein Golf die Motoryacht zum nächsten Weiher schleppt, wenn ein Golf das Rennpferd im Anhänger nach Recklinghausen zieht: Kein Neid kommt auf, nur immer wieder Sympathie. Mit einem Golf kann man nicht in die Nesseln fahren.

Fast-nicht-mehr-Golf-Golfs

GTI – DER ARMEN-PORSCHE

Aus dem Schutz des harmlosen Normal-Golf-Rudels heraus operiert der GTI[2] als nervöses Raubtier. »Der Golf im Schafspelz« wird er von seinen Fans gern genannt. Das soll wohl auf die wolf-typische Neigung zu harmlos wirkenden Verkleidungen anspielen, in denen der Wolf dann sein Unwesen treibt. Zweifellos mangelt es dem Wolf nicht an Einfällen. Und so manche Großmutter kann er mit Kreideessen etc. überrumpeln.
Besonders beliebt ist er nicht, der GTI-Fahrer, selbst wenn er sich peinlich genau an die Verkehrsregeln hält und die Haarnadelkurve im Wohngebiet bei Regen exakt mit den erlaubten 50 km/h nimmt. Was heißt hier Kopfsteinpflaster? Glücklicherweise fährt er seinen GTI immer bis an die Grenzen aus und besitzt daher genügend Erfahrung mit mehr oder weniger absichtlich herbeigeführten Beinaheunfällen, um elegant um jede Ecke zu schliddern. Sportlich nennt man das. Und wieviele Arbeitsplätze z.B. in der Gummi- und Asbestindustrie wären gefährdet, würde die GTI-Gemeinde nicht regelmäßig mit qualmenden Reifen starten und ständig Vollbremsungen vollführen? Außerdem: An irgendwem müssen die Unfallchirurgen ihr Handwerk schließlich trainieren können.
Zu dieser starken sozialen Orientierung tritt beim GTI-Fahrer die glasklare Vernunft, die ihm ebenfalls immer wieder falsch ausgelegt wird. Um durch seine Anwesenheit die Straßen nicht weiter zu verstopfen, springt er von Spur zu Spur, füllt kurzzeitig mikroskopisch kleine Freiräume zwischen zwei Kolonnenfahrern und lockert den verkrusteten Verkehrsfluß auf wie ein Eisbrecher die zugefrorene Elbe. Gern entscheidet er sich in letzter Sekunde für eine hochintelligente Abkürzung durch die verkehrsberuhigte Zone und biegt rechtwinklig und mit quietschenden Reifen ab. Schaltet eine Ampel auf Grün, wenn er gerade auf die vor ihr wartende Autoschlange zurast, so donnert er nonchalant rechts an dem lahm anfahrenden Pulk vorbei. Vor Ampeln, die gerade auf Rot gesprungen sind, gibt er nochmal kräftig Gas. In beiden Fällen geht es darum, im Sinne eines modern verstandenen Umweltschutz- und Energiespar-Konzeptes wertvolle Bewegungsenergie nicht durch unnötige Bremsung zu vernichten. Der GTI fährt körperlos, nur

---

2 GTI = Gran Tourisme Injection. Und bitte: es heißt »GTI«, keinesfalls aber »GTi«!

in Nischen, manchmal über den Bürgersteig oder das Tankstellengelände an der Ecke, vor der die Ampel niemals auf Grün umspringen zu wollen scheint – eigentlich existiert er nicht, solange ihn kein anderer mutwillig dazu zwingt und es entsprechend kracht.
Doch niemand versteht ihn. Der GTI-Fahrer wird von sämtlichen anderen Verkehrsteilnehmern und sogar den verwandten Normal-Golfern als Buhmann hingestellt. Jedem Mercedes wird die Bahn frei gemacht, wenn er sich bei 184 km/h mit aufgeblendeten Scheinwerfern und nervösem Linksblinker an die Stoßstange seines kriechenden Vordermannes (wirklich nur 171 km/h!) klebt. Aber Golf? Nein, niemals, das kann der Spießbürger im Mazda oder Ascona einfach nicht ertragen. Dabei fährt ein GTI spielend seine 204. Jedenfalls in der Version mit 16 Ventilen. Naja, VW verspricht es wenigstens. Und bei etwas Rückenwind auf abschüssigen Teststrecken funktioniert es bestimmt – auch bei den vielen Käufern eines GTI 16 V, die sauer sind, weil sie auf gerader Strecke nur bis 190 kommen.
Die Welt ist wahrscheinlich noch nicht reif für einen Gewinnertypen im bescheidenen Kleid. Wer von der automobilen Gesellschaft als Dauerüberholer und siegesgewohnter Motorsportler respektiert werden will, mit dem man sich am besten gar nicht erst anlegen sollte, der muß offenbar immer noch so klotzig daherkommen wie Corvette oder Mercedes SEC. Der GTI aber beschränkt sich auf ein paar unauffällige Details wie die hübschen schwarzen Kotflügelverbreiterungen, den ansprechend schwarz gehaltenen Dachhimmel, den heimelig schwarzen Verlour-Teppichboden und die zurückhaltend mattschwarzen Bauteile überall dort, wo man beim Normal-Golf Chrom sehen würde. Der Vordermann erkennt erst spät den GTI-typisch rot eingefaßten Kühlergrill des explosiven Verfolgers. Beim Ober-Raser mit den 16 Ventilen, für dessen 139 PS sich zwei Drittel der GTI-Käufer entscheiden, haben die Wolfsburger zur – wie sie selbst sagen – »Orientierung« den gefährlichen Schriftzug »16 V« vorne und hinten am Auto angebracht. Dabei unterlief ein Denkfehler: Vorne hätte man die Warnung in Spiegelschrift ausführen sollen!
Stellt sich die Frage: Wer ist mit so einem Wagen unterwegs? Treffen wir im GTI überhaupt einen typischen Golfer an? Ja und nein. Nein, weil der GTI schon eindeutig zu den Autos zählt, die mehr bieten als pure Fortbewegung (also z.B. die sogenannte »Fahrkultur«). Nein auch, weil der GTI – im Unterschied zum Normal-Golf – Feinde hat. Andererseits: Selbst GTI-Extremisten wollen die Golfer-Herde nicht missen. Schön, sie wollen durch Leistung, Aggressivität, Wendigkeit und Tempo Leithammel sein, manche sogar schwarze Schafe. Doch auch wenn sie gern über die Stränge schlagen,

so halten sie sich dabei immer die wuchtige Hintertür der Normalität offen. Der GTI-Fahrer kann mit seinem rasanten Fahrzeug das machen, was sonst den teuren und prestigeträchtigen PS-Monstren vorbehalten ist, bleibt aber gleichzeitig in der unangreifbaren Klasse der bescheidenen Allerweltsautos. Zudem kann niemand sachlich an seinem GTI herummäkeln. Er ist nicht zu teuer, nicht anfällig und nervös, er verbraucht nicht so viel, er ist keine Seifenkiste, kommt aber auch nicht sonderlich protzig daher.
Der GTI-Fahrer streift nicht als einsamer Wolf umher, er liebt die Geselligkeit und Rekorde. Nicht genug damit, daß allerlei GTIs unter so illustren Bezeichnungen wie der »gelbe Golf«, der »Funkberater-Golf«, der »Jägermeister-Golf« und schließlich zur Krönung der »Golf-Golf« diverse Rallye-Pokale gewonnen haben. Auch durch einen Eintrag ins Guiness-Buch der Rekorde wird der Potenz-VW geadelt: 4,3 km GTI an GTI – die Schlange von Maria Wörth am Wörthersee (1982). In der Rahmenveranstaltung der »GTI-Tage« (3000 Teilnehmer) geschah sogar ein marienerscheinungsmäßiges Wunder: »Niki Lauda und Dieter Kürten sorgten im Festzelt für Stimmung.« Inzwischen steht im Golfer-Wallfahrtsort Wörth gar ein aus Granit gehauenes GTI-Denkmal, 25 Golfs schwer und von Wolfsburg gestiftet. Und jedes Jahr reisen die bekennenden Golfer erneut in die Nähe Kurt Waldheims, um sich in so erwachsenen Disziplinen wie Kavalierstart und Lenkradwerfen zu messen.
Noch ein Wort zum GT: Mit wenig Aufwand läßt sich diese Spar-Version des Kraft-Golfs zu seinem teureren und potenteren Vorbild GTI umflaggen. Man kann sich also unschwer vorstellen, was für Typen mit einem GT herumfahren.

GTD, DER TURBO DIESEL

Wo Zuverlässigkeit und Unsterblichkeit religiöse Verehrung genießen, fährt man Diesel und leidet unter dem Vorurteil, geizig und lahm zu sein. Damit auch der Diesel-Fetischist mal ans Rasen kommt, gibt's den Turbo-Diesel. Turbo ist ja immer gut: Keiner versteht, wie das mit den diversen Aufladungs- und Nachladungspatenten eigentlich funktioniert. Irgendwas mit Schaufelrädern, irgendwie flugzeugturbinenmäßig. Wie auch immer, auf alle Fälle nicht weit entfernt vom Rennsport und zudem in einer Karosse, die so aussieht wie der GTI (den Grill mit der fehlenden roten Umrandung kann man ja austauschen).
Das ist das Schöne am Diesel und besonders am GTD: Weil jeder weiß, daß

ein Diesel gar nicht rasen kann, braucht ein GTD-Fahrer nie auf den Tacho zu schauen, auch nicht, wenn er sich wundert, warum er in der Stadt an allen anderen Autos vorbeifährt.

GOLF CABRIO

Der Normal-Golfer bleibt unsichtbar, weil sein Wagen wie eine Tarnkappe wirkt. Den GTI-Fahrer kann man nur beim Ein- und Aussteigen bewundern, weil er sich im Verkehr so rasch und sprunghaft bewegt, daß das menschliche Auge nicht zu folgen vermag. Beim Cabrio hingegen kommt der Betrachter voll auf seine Kosten: vor allem wegen der aufregenden Modefrisuren und Sonnenbrillen, die Fahrer und Beifahrer uns vorführen, wenn der offene Golf beeindruckend langsam vorbeirollt. Was, das ist nun schon das fünfte Mal in 42 Minuten? Die Stadt ist klein, die Hauptstraße kurz, da kommt es beim Spazierenfahren leicht zu Wiederholungen.
Der begrenzte sachliche Nutzen eines offenen Wagens in einem Land mit ganzjährig miserablem Wetter stört den wahren Cabrio-Fahrer nicht. Sein Golf-Cabrio dient ihm nicht als Fortbewegungswerkzeug, sondern als delikates Spielzeug, das eine Lebenseinstellung verkörpert: Interessant wird es erst da, wo die Notwendigkeiten enden, wo Laune und Luxus regieren und man bei der Feinschmeckerei beobachtet werden kann. Sogleich findet er sich in der guten Gesellschaft anderer Hobby-Müßiggänger, die sich auch wünschen, zwischen Ibiza, Sylt und St. Moritz hin und her zu pendeln, und nur unerheblich darunter leiden, daß ihnen gerade noch 998.484,- Mark zur vollen ersten Million fehlen.
Das Cabrio ist der ideale Spielzeug-Zweitwagen für Barbie und Ken, vom Volkswagenwerk treffsicher als »fahrendes Sonnenstudio« bezeichnet. Der knusprig gebräunte Bodybuilder und seine hollywood-verdächtige Lieblings-Kosmetikerin spielen »der große Wagen steht in der Garage unserer Villa«, während sie zur Abwechslung im bescheidenen, offenen ausreiten. Immerhin, sie glauben sich selbst. Jedenfalls manchmal.
Das Golf Cabrio wird vor allem gepflegt, seltener gefahren. Es steht als empfindliches Juwel in oder zum stolzen Blankpolieren vor der Garage. Besonders das leicht einschmutzende Faltdach braucht reichlich Pflege. Bei schlechtem Wetter will man dem Cabrio den Rostfraß und sich das zugige oder undichte Verdeck ersparen. Bei praller Sonne wird man schon bald das Verdeck als Sonnenschutz einsetzen wollen. Dann wird das »fahrenden Son-

nenstudio« schnell zum fahrenden Treibhaus, weil für die Ventilation des Innenraums nur unzureichend gesorgt ist.
Warum gerade Golf-Cabriolet? Der offene Käfer kommt ein wenig zu skurril daher, der offene Daimler ist zu grau-meliert (und teuer), Spitfire und Alfa taugen einfach nichts, ein offener Opel oder Ford wirkt zu kleinkariert, englische oder amerikanische Cabrios stehen zu sperrig aus der Masse heraus. Es muß das Golf Cabrio sein, das mit dem geringen Innenraum, dem häßlichen Überrollbügel, den nicht versenkbaren Seitenscheiben und dem fast nicht vorhandenen Kofferraum, dieser Wagen, den man nicht »offen«, sondern eigentlich nur »dachlos« nennen sollte. Deutsche Hausmannskost schmeckt der verschuldeten Boutiquen-Besitzerin, der Mätresse des Zahnarztes, dem Studiosus aus begütertem Hause und dem hochmodisch lifestyligen Biedermann unter 35 am besten.

SO WIRD DAS X ZUM U

Das Rezept ist einfach: Man schnüre ein paar besonders häufig georderte Golf-Extras zu einem Paket, beziehe die Stühle mit einem etwas anderen Stoff und klebe ein Plastikschildchen mit einem schmissigen Namenszug auf die Sache. Schon entsteht der Eindruck, daß es sich hier um eine exclusive Sonderserie handelt – genauso wie der 08/15-Golf, nur ganz, ganz anders. Und dabei irrsinnig billig.
Zugegeben, der weiße Golf »Carat« war keine gute Idee – der Name klang einfach zu sehr nach Ostzone. Aber »Bistro« für die bärtige Kneipen-Klientel oder »Memphis« für die Zeitgeistlichen? Da vergißt man beinahe, daß man es mit einem Golf zu tun hat, auch wenn man den Unterschied zum Golf nur nach einem Wochenendseminar für Detektive erkennen kann. Der »Match« schwimmt als boris-mäßiger VW auf der Tennis-Welle: »Aufgepaßt Sportsfreunde, jetzt schön am Ball bleiben. Erster Satz. Attraktive Farben sind im Spiel. Zweiter Satz: Bärenstark die Sportsitze. Dritter Satz: Sauber, wie so ein Golf Match laufen kann.« »Bistro« biedert sich den Frankophilen an: »Voilà! Die neueste Creàtion« mit »viel Flair«, »viel Charme. Fahrspaß als Lebensstil. (...) Vive la difference« und das »a la carte«.[3]

3 Zitate aus der Reklame

BESITZERWECHSEL UND ANDERE ÄRGERNISSE

GOLF-ZUSTÄNDE

Einen kleinen Moment lang ist jeder Neu-Golf neu und damit nicht nur irgendwie unverkäuflich, sondern eigentlich auch zu schade, um mit ihm herumzufahren. Im Gegensatz zu anderen Autos, besonders denen der Nobel-Klasse, hält dieser ehrfurchtsgebietende und einschüchternde Eindruck nicht nachhaltig vor – zum Glück hat auch ein beinahe noch fabrikwarmer Golf immer etwas einladend Gebrauchtes an sich.
Den nun folgenden Lebensabschnitt verbringt der Golf im sogenannten »gepflegtem Zustand«. Regelmäßige Besuche beim V.A.G.-Partner und liebevolle Handwäsche an jedem Wochenende reiben dem reifenden Gefährt immer wieder frische Lebensenergie ein. Der Golfer fährt seinen Wagen im ständigen Gedanken an das Jüngste Gericht, jenen Tag also, an dem er die Kiste weiterverkaufen will – und zwar fast ohne Verlust.
Aber weder Frau Dr. Aslan, noch die vollständige Shiseido-Pflegeserie können einen gewissen Verfall verhindern. Irgendwann wird der Golf dann entweder an jemanden in der Verwandtschaft verschenkt oder anderweitig »weggegeben«.

HÄNDLER

Kein gesunder Autohändler fährt Golf. Das tut seiner Begeisterung für das gesuchte Massen-Mobil allerdings keinen Abbruch. Zu jedem einzelnen Golf auf dem Schotter seines Ausstellungsgeländes weiß er eine herzige Geschichte zu erzählen, die in der Versicherung gipfelt, er selbst würde genau diesen Golf hier fahren, wenn er nicht schon einen 500 SE von der Konkurrenz hätte – mit dem er übrigens nicht so zufrieden ist, wie sein Sohn Udo mit dem Golf aus Vatis Fundus.
Zwei Veränderungen erfährt der Golf beim Gebrauchtwagenhändler: Beim Ankauf wird der Golf mit der Hebebühne hochgehoben und rundum mit einem klotzigen Schraubenzieher abgeklopft. Vor den Augen des Golfers

SONDERANGEBOT
1.750,

werden möglichst viele häßliche Löcher in sein geliebtes Gefährt gestoßen, um es ihm dann besonders billig abzuschwatzen. Kaum ist der geknickte Ex-Besitzer mit DM 50 in der Hand vom Platz geschlichen, beginnt der zweite Angriff auf die Substanz. Rasch und halbherzig werden die Löcher zugeschweißt und verschwinden unter kiloweise Spachtelmasse. Dann bekommt das schäbige Stück jene Wiederbelebungsmaßnahme verpaßt, die in der Fachwelt »Händlerdusche« heißt: drei Eimer vom billigsten Feuerwehrrot. Und schon geht der Gammel-Golf als gut erhaltener Traumwagen ins Angebot.

FACHTERMINOLOGIE DER HÄNDLER

Golf: jeder Golf, der im Ankauf über 2000,– Mark kostet.
Kiste: staubiger Charakter, mitunter leicht schrammig oder angebeult, aber jedenfalls bewohnbar. Leichte Defekte, brauchbare Substanz.
Schüssel: Blech-Charakter steht im Vordergrund. Rostblasen und abgeplatzte Lackstellen. Mittlere Defekte wie Radlager oder Kupplung »runter«.
Eimer: verwohnt, löcherig und ohne Substanz. Besteht zu 60 % aus ausgeschlachteten Teilen. Nicht abschließbar, Tür nur mit Trick zu öffnen. Eigentlich wegschmeißen, aber dann doch lieber mit neuem TÜV für nur 1780,– DM anbieten.
Gurke: erträglicher Gesamteindruck, aber ein schockierender Schaden, gern riesiges Rostloch oder Motor hinfällig.
Zwiebel: Golf, der schon mehrere schwere Operationen hinter sich hat, die nie wirkliche Erleichterung brachten. Aufkleber.
Höhle: Aschenbecher-Charakter. Kofferraum voller Abfälle, Rückbank und Fußboden mit Müll bedeckt. Dreck überall. Andersfarbige Kotflügel und Türen, Rostfraß rundum und untendrunter, profillose Reifen. Wagen wurde abgegeben, weil eine Reparatur nicht mehr lohnend schien. Aber fahrbereit und 12 Wochen TÜV (Überziehen nicht mitgerechnet).
Grotte: Steigerungsform der »Höhle« in Richtung Naßbiotop mit vielfältigen Mikroben-Kulturen unter den Fußmatten – wird nicht verschrottet, weil sonst das Artenschutzgesetz verletzt würde. Fehlender Tankdeckel wurde durch in den Tankstutzen gestopfte Plastiktüte ersetzt.

EWIGE JUGEND

Ein Golf vom Händler ist immer jünger als man meinen möchte. Daß der Händler am Telefon sagte, der Wagen habe 78.000 drauf, lag daran, daß er die Zahl falsch abgelesen oder den fraglichen Wagen mit einem anderen Golf verwechselt hat, der vor 20 Minuten verkauft wurde. Oder es ist eine Austauschmaschine drin, die ganz bestimmt erst 40.000 drauf hat (trotz Kilomterstand 124.000). Jeder Uralt-Golf ist irgendwie 78.000 km alt. »Zudem ist dieses Exemplar ungewöhnlich gut erhalten.«

GOLF VON PRIVAT

Den meisten Männern fehlen der Mumm für blutrünstige Banküberfälle und die Intelligenz für großformatige Betrügereien. Trotzdem halten sie sich für durchaus talentiert und betätigen sich gelegentlich als Autohändler. Auch wenn ihnen die amtlichen Zunftzeichen wie Wohnwagenbüro, illegal beschäftigte Polen und beißfreudiger Rottweiler fehlen, geben sie doch ihr bestes, besonders abgebrüht und gnadenlos ans Werk zu gehen. Sie heucheln profunde Fachkenntnis, wenn sie hoch und heilig versprechen, daß ein Radlager immer heult, wenn es frisch eingebaut und noch nicht eingefahren ist. Sie bleiben eisenhart, wenn der Käufer eine Woche später vorfährt und die Rechnung für das vorgestern kaputt gegangene Radlager präsentiert oder die unfallbedingte Knautschung im Kofferraum dieses »unfallfreien« Golfs gefunden hat.
Wo in jedem Mann der moralisch marode Roßtäuscher steckt, wurzelt bei der durchschnittlichen Frau ein hartnäckiges Schuldgefühl. Vielleicht hat sie den Wagen doch nicht genug gepflegt, vielleicht könnte doch was dran sein, von dem sie bisher nichts gemerkt hat, weil ihr die Ahnung fehlt. Eigentlich kann man ein Gebrauchtauto gar nicht mit gutem Gewissen weiterverkaufen, denkt sie sich, selbst fürs Verschenken müßte man sich eigentlich schämen.
Es war schon schlimm genug, daß sie sich seinerzeit den Golf viel zu teuer hatte aufschwatzen lassen und dann zweimal den Kaufpreis für Reparaturen aufwenden mußte. Sie entschuldigt sich immer wieder bei den Kaufinteressenten, die auf die Annonce gleich in Heerscharen gekommen sind, weil der Wagen viel zu billig inseriert worden war. Die Schüssel geht für 1.200,– Mark über den Tisch. Am nächsten Tag sagen ihr alle, sie hätte auch leicht 2.000,– dafür bekommen können. Nun beginnen die üblichen Selbstvorwürfe...

Reparaturen

WANN?

Wenn das Geräusch lauter wird als die aufgedrehte Stereoanlage.

WANN NICHT?

Selbst der frisch reparierte Golf kommt einem nie völlig heile vor. Aus dieser Stimmung heraus lassen sich gewisse Mängel großzügig übersehen, die man genausogut reparieren lassen könnte. Zum liebenswerten Charakter des reiferen Golfs gehört eben der eine oder andere weniger wichtige Defekt an den Türschlössern. Nunja, regelmäßiges Einsteigen durch die Heckklappe fördert die Kondition des Fahrers. Und das tägliche Fingerhakeln mit den klemmenden Türgriffen hat doch auch etwas Liebenswertes. Wer gern mit fest verschlossener Tür herumfährt, sollte halt vor dem Zuknallen der Tür das Fenster einen Spalt öffnen, das mindert den Gegendruck und hilft.
Auch auf die golf-übliche Lappalie der abgebrochenen Fensterkurbeln könnte man nach einiger Zeit nicht mehr verzichten, ohne sich sofort seinem Auto entfremdet zu fühlen. Und wie unpersönlich würde ein Golf wirken, dessen Sonnenblenden nicht – wie eigentlich üblich – schief herunterhängen, weil ihr Plastikscharnier zersprungen ist.
Ja, selbst prestige-mindernde Beulen werden lange Zeit nicht instand gesetzt. Einmal kann man so den Eindruck erwecken, man sei wirklich nur an der Funktion seines Nutz-Golfs interessiert, zum anderen läßt der preisbewußte Golfer die selbstverschuldeten Macken erst dann richten, wenn er sie nach einem glücklichen Crash irgendeiner gegnerischen Versicherung als »Unfallschaden« unterschieben kann.
Ansonsten fragt sich der Golfer, warum er ständig frische Radlager und Ventilschaftdichtungen braucht. Ihm fällt keine Antwort ein, aber die Werkstatt erfindet so wunderbare Märchen zu diesem Thema, daß allein das schon das Geld für die Reparatur wert ist.

DER V.A.G.-PARTNER

Dieser Partner ist wahnsinnig in Ordnung. Er sagt, der Golf sei heute um fünf fertig. Wir kommen kurz vor Feierabend, um den Wagen abzuholen. »Ist noch nicht fertig!« – »Aber es ist doch schon zehn nach fünf!« – »Das kommt darauf an. In New York beispielsweise ist es jetzt erst. . .«
Unser V.A.G.-Partner hält jedes Ersatzteil für uns bereit. Fast jedes. Warum brauchen wir immer gerade das, das nicht am Lager ist? Und warum ist der Golf-Kotflügel vom V.A.G.-Partner doppelt so teuer wie das gleiche Teil im freien Handel? Und was ist mit der Hilfe, die der V.A.G.-Partner laut VW-Propaganda angeblich jenen Selbstbastlern angedeihen läßt, die beim Pfuschen nicht mehr weiterkommen? »Wie baut man die Kupplungsscheibe aus?« – »Mit Gefühl.« – «Und wo sitzt die Kupplung?« – »Im Motorraum.« Danke!
Was will man mehr? Wenn der Golfer beim V.A.G.-Partner vorstellig wird, braucht er sich nicht umzustellen und wird auch nicht schockiert. Hier geht es genauso zu wie im wirklichen Leben, man wird abgefrühstückt im Stile der Ämter und Behörden: der Kunde als anonymer Bittsteller, dem man in der Tradition des Gottesgnadentums gegen hohe Ablaßgebühr einen Gefallen tut. Es bleibt ihm ohnehin nicht viel anderes übrig. Wer nicht will, der hat schon. Und außerdem: Hätte der Bittsteller seinen Wagen vernünftig behandelt, bräuchte er ihn schließlich nicht reparieren zu lassen.
Gern würde der Golfer darauf verzichten, sein Prachtstück in die Vertragswerkstatt zu geben, hat er doch den Eindruck, daß da irgendwas faul ist – wie im Krankenhaus, dem man bei allem objektivem Heilerfolg ja auch nie ganz über den Weg traut. Und wurde nicht schon so manche prächtige Schere im Bauch des Blinddarm-Patienten vergessen? Doch was soll er machen?

SCHROTTPLATZ – DER GOLF-PLATZ

Glücklicherweise ist man nie allein, wenn man sich auf dem Schrottplatz für immer von seinem Golf trennt. Irgendeine nahestehende Person ist mit einem zweiten Wagen hinter oder, uns durch das intime Abschleppseil innig verbunden, vor uns gefahren, und bringt uns nun geknickt wieder heim. Ja, der letzte Gang ist nicht schön! Die Vorstellung, daß **unser** treuer Wagen schnöde ausgeschlachtet werden wird, um dann achtlos ins Massengrab geschoben zu werden, rührt an und macht echt betroffen. Doch tröstlich bleibt, daß einerseits seine Organspenden anderen, kranken und altersschwachen Golfs wieder auf die Achsen helfen (wenn auch vom profitgierigen Abdecker pietätlos an notleidende Golfer verscherbelt) und daß andererseits die verbleibende, vergängliche Hülle in der Schrottschmelze wieder eins wird mit dem Stahl-Universum. Ist es nicht eine wunderschöne Vorstellung, daß vielleicht schon im neuen Golf, den wir uns nächstes Jahr kaufen, ein paar Gramm des Verblichenen als Blech wiedergeboren werden? So ist jeder Golf, den wir sehen, auch ein Symbol für den Mikrokosmos im Makrokosmos (oder umgekehrt?) und – das wollen wir bitte nicht übersehen – für die Unsterblichkeit.

FINANZIERUNG

Unter Harley-Davidson-Fahrerinnen ist es sehr populär, den Männern davonzufahren, es ihnen auch sonst gehörig zu beweisen und nebenher einen Golf zu leasen (anstatt eine Ente zu leasen und ein Kotelett zu kaufen). Das Landvolk zieht die Barzahlung vor. Der Finanzartist hingegen entscheidet sich für ein komplizierteres Finanzierungsverfahren, das aus folgenden Komponenten zusammengefügt ist: gepumptes Geld von Freunden und Verwandten, überzogenes Konto, platzungsbedrohter Wechsel und zur Zwischenfinanzierung regelmäßige Teilkasko-Schäden, bei denen enorm teure Stereo-Anlagen aus dem Golf geklaut werden.

Katastrophen

TÜV

Jeder gesunde Mensch haßt Uniformen, Beamte, Kindesmörder und den TÜV. Da aber der Golfer so stolz auf sein ausgeglichenes Wesen ist, haßt er den TÜV-Prüfer nicht und auch nicht die anonyme Terror-Organisation, die ihn bezahlt. Schön, er fürchtet das kafkaeske Gefühl des Ausgeliefertseins, wenn unsichtbare Kfz-Meister aus den dunkelen Untiefen der »Grube« heraus im Golf herumstochern und wortkarg mysteriöse Häkchen und Notizen auf einen Zettel schmieren. Doch auch in der Schule mußten Prüfungen sein.

Aber wehe, wenn trotz aller Vorbereitungen und Stoßgebete, trotz unzähliger gedrückter Daumen im Umkreis von 207 km nach stundenlangem, entnervenden Warten die Plakette verweigert wird! Wir haben dem TÜV eine faire Chance gegeben, seine Berechtigung zu beweisen, aber er hat vergeigt! Also doch ein reines Schikaneunternehmen, fascho-mäßiger Bürokratismus, unverschämte 34,– Mark Gebühr, diese eingebildeten Arschlöcher, diese kleinkarierten Reaktionäre mit ihren unmenschlichen Antipathien und ihrer eindeutigen Verschwörung gegen uns!
Der Wagen kommt wieder in die Werkstatt und wird für den nächsten Anlauf vorbereitet. Es klappt! Wir müssen unterschreiben, daß wir uns verpflichten, die verbliebenen zwei Lapalien instand setzen zu lassen – was wir aus Rache natürlich nicht tun werden. Und wieder dürfen wir zwei Jahre die Gegend unsicher machen. »Ein Glück, daß es den TÜV gibt«, tragen wir nun überall vor, »die Strenge dient ja nur unser aller Sicherheit.« Man möchte schließlich nicht in einem Land leben, wo man wegen der gammeligen Bremsen anderer, verantwortungsloser Verkehrsteilnehmer ständig Todesangst ausstehen müßte.
Nach bestandenem TÜV können wir endlich die vier fast neuen Reifen an unseren Kumpel zurückgeben und unsere eigenen blanken wieder aufziehen. Auch seine frischen Reflektoren bekommt Paul wieder zurück. Danke für die nette Leihgabe, aber die alten tun es doch auch...

VON BULLEN ERWISCHT

Der Golfer fährt mit allen Rädern auf dem Boden des Grundgesetzes. Gelegentlich gibt es verräterische Bremsspuren. Aber so ist das nun mal mit dem Rechtsstaat, der einem am besten gefällt, wenn es die anderen erwischt.
Vom Mercedes-Fahrer ist bekannt, daß er sich verkehrsrechtlich bevorrechtigt fühlt und davon ausgeht, niemals ein Opfer von Verkehrsunfällen werden zu können – sein Wagen ist zu solide. Der Golfer glaubt, daß er nicht geschnappt werden kann, weil der Schwarm den sichersten Schutz vor Haien bietet. Falsch. Kaum hält ihm die Autorität die Kelle hin, lernt der in die Radarfalle Gestrauchelte noch eine zusätzliche, schmerzhafte Lektion: die Höhe der Strafe richtet sich nicht nach Hubraum oder Kaufpreis des Wagens.
Der Golfer kommt vergleichsweise glimpflich davon, wenn er gesündigt hat. Das liegt freilich nicht etwa an seiner besonders geschickten Taktik im

Umgang mit den Uniformierten, sondern an einer sympathischen Ideenlosigkeit. Wo die Halter status-trächtiger Schlitten zu endlosen Diskursen über die Fragen der Gerechtigkeit neigen und fragen, von wessen Steuergeldern denn bitte letztlich das feige Heckenschützentum der unterbelichteten Beamten bezahlt wird, wo gemeinhin beschuldigt, gepöbelt, getrotzt, geschleimt und gefeilscht wird, da duckt sich der Golf-Fahrer schicksalsergeben vor der allgewaltigen Obrigkeit, ganz wie es sich gehört. Irgendwie hat ein Golfer immer ein schlechtes Gewissen; selbst wenn er nicht weiß, warum: Er ist schuld. Wenigstens provoziert er die Bullen nicht zu besonders empfindlichen Strafaktionen. Außerdem: das Recht fährt schließlich auch VW – das schafft ein gewisses menschliches Verständnis.

UNFALL

Der Golfer sieht immer das Gute. »Es hätte schlimmer kommen können.« Da sein Wagen niemals unverletzlich wirkt, wundert er sich eher, wieso nicht schon viel früher viel Ärgeres passiert ist.
Fährt ihm jemand rein, wird er dadurch nur noch stärker an seinen Golf gebunden: Trägt ein größerer Wagen die Schuld, will der Golfer nie zu dieser Klasse der Rücksichtslosen über zwei Liter Hubraum »aufsteigen«; war der Gegner kleiner, fühlt sich der Golfer in seiner Annahme bestärkt, daß nur unfähige Anfänger oder Unbelehrbare einen anderen Kleinwagen als den überlegenen Golf anschaffen.

WINTER

Den meisten Autofahrern ist der Winter peinlich, weil sie gelegentlich ihren Wagen auch durch wiederholtes Orgeln nicht aus der Parklücke herausbekommen. Der Golfer freut sich über den Gewinn für seine körperliche Fitness, wenn die Grotte wiedermal angeschoben werden muß. Weniger trimmfreudige Naturen kennen in der gesamten Umgebung sämtliche leicht abschüssigen Strecken, an denen sie parken können, um den Wagen bei Bedarf auch ohne Hilfe netter Passanten in Gang bringen zu können.

VENTILATOR

Golf-Neulinge stehen am ersten Tag Höllenängste aus: Im Stau setzt plötzlich und unerwartet dieses abartige Geräusch im Motorraum ein! Sofort Zündung aus! Immer noch dieses Heulen. Warnblinkanlage! Hupkonzert. Motorhaube auf! Verkehrs-Chaos. Erleichterung, wenn sich dann nach wenigen Minuten messerscharfer Analyse herausstellt, daß es der Ventilator war, der dem Kühler zusätzliche Luft zufächelt. Aber woher soll man das auch wissen. . .?

VERKAUF

Im Prinzip geht dem Golfer der Verkauf seines Gebrauchsgegenstandes nicht ans Gemüt. Aber trotzdem kommt er regelmäßig in arge Bedrängnis. Der Interessent findet nämlich grundsätzlich entscheidende Mängel an dem Golf, den der Golfer am Telefon noch als tadellos in Ordnung über den Klee gelobt hatte. Und immer sind es Mängel, die man nicht übersehen **kann**, es sei denn man **wollte** sie übersehen. Aha! Die Handteller des Golfers werden feucht. »Aber ich bin doch vollkommen unschuldig!« Doch niemand glaubt ihm, daß er seinen Golf vor drei Jahren weit über Marktwert gekauft und bis heute nicht bemerkt hat, daß man ihm einen minderwertigen Unfaller aufgeschwatzt hatte.
Der Golfer wird sich nicht handelseinig mit dem Interessenten, der Zweifel an seiner Glaubwürdigkeit hegt und bis zu 50 % und mehr Rabatt[1] will. Der Golfer nimmt sich aber aus Gewissensgründen vor, den nächsten Interessenten von Anfang an auf die soeben festgestellten Mängel hinzuweisen. Aber dieser Blödian gibt einem erst gar keine Chance, sondern kauft gleich. Die Dummen sterben nicht aus. Wieder eine Lektion gelernt. Auch die Dummen haben eine Chance, ihren Horizont zu erweitern.

---

1 Entschuldigung, aber auf dieses schönste Dummdeutsch-Zitat der Discount-Kultur konnte der Autor einfach nicht verzichten.

Offizielles Bestechungsangebot

Zittern Sie schon, verehrter Herr von Kuenheim? Zurecht! Die noble Konkurrenz aus Untertürkheim hat ihr Fett schon weg, die Umsätze brechen ein. Volkswagen fürchtet die Pleite, seit es neben gewissen Umtauschverlusten bei Devisengeschäften auch noch das Buch gibt, das Sie gerade in Händen halten. Klarer Fall: Als nächstes muß BMW dran glauben. Würde ihr aufstrebendes Unternehmen eine derartige Hetze überleben? Vielleicht. Aber um wieviel besser könnten Sie schlafen, würden sie dem aufstrebenden Schreiber dieser schamlosen und bestimmt von der Konkurrenz finanzierten Rufmordkampagne einen neuen 7er zum lebenslänglichen Testen vors Haus stellen (Sprit und Reparaturen zahl ich selber)?! Oder ein Gutachten zu irgendeinem Thema (aber auf jeden Fall für 31.409,34 DM incl. Steuer) bei ihm bestellen. Oder das BMW-Manuskript kaufen.
Denken Sie mal drüber nach, und schreiben Sie mir unverbindlich über den Eichborn-Verlag
Ihr

Achim Schwarze

P.S.: Auch bei der Gestaltung der geplanten Opel- und Ford-Bücher würde ich mich gerne mit Ihnen abstimmen.

So sehen die echt einmaligen Taschenbücher aus